Reinaldo Domingos

Terapia Financeira

REALIZE SEUS SONHOS COM EDUCAÇÃO FINANCEIRA

MAIS DE 200.000
EXEMPLARES VENDIDOS

1ª Edição - 2012
2ª Edição - 2013

Direção editorial: Simone Paulino
Editora-assistente: Renata de Sá
Edição de arte: Christine Baptista e Luyse Costa
Ilustrações: Ariel Fajtlowicz
Projeto gráfico: Rodrigo Rodrigues
Revisão: Patrícia Dourado
Impressão: Intergraf Ind. Gráfica Eireli

Av. Paulista, 726 | Cj. 1210 | 12º andar
Bela Vista, CEP 01310-910, São Paulo - SP
Tel.: 11 3177-7800
www.editoradsop.com.br

Dados Internacionais de Catalogação na Publicação (CIP)
(Câmara Brasileira do Livro, SP, Brasil)

Domingos, Reinaldo
Terapia financeira : realize seus sonhos com educação financeira / Reinaldo Domingos. -- São Paulo : DSOP Educação Financeira, 2012.

ISBN 978-85-63680-28-0

1. Dinheiro 2. Finanças pessoais - Decisões 3. Finanças pessoais - Planejamento 4. Orçamento 5. Poupança e investimento I. Título.

12-04465 CDD-332.02401

Índices para catálogo sistemático:

1. Independência financeira : Educação financeira : Economia 332.02401

Este livro é dedicado a você, leitor, para que, após a leitura, esteja pronto a dar passos muito mais seguros rumo à sustentabilidade financeira. Baseado em fatos reais da minha vida, ele tem a intenção de compartilhar com você a **Metodologia DSOP**, um jeito simples e eficaz de lidar com o dinheiro, que me levou a conquistar a independência financeira aos 37 anos de idade. Milhares de pessoas já encontraram o caminho da prosperidade espelhando-se nessa experiência.

Agora é a sua vez!

Acredite. Você também pode!

Reinaldo Domingos

“O futuro pertence àqueles que acreditam na beleza dos seus sonhos”.

Eleanor Roosevelt (1884-1962)

Agradecimentos

Aos meus pais, Aparecido e Dirce, por me concederem a vida na graça de Deus, e a meus irmãos, Richard, Rosângela e Rita.

À minha esposa, Loreta, e aos meus filhos, Graziella e Fabrizzio, por me apoiarem e compreenderem minhas ausências, para que eu pudesse colocar essa grande missão de vida em prática, disseminando a educação financeira no Brasil e no mundo.

A todos que acreditam na **Metodologia DSOP** e a praticam, sejam eles educadores financeiros profissionais ou pessoas comuns.

À mídia de forma geral, que, por meio do meu incansável assessor de imprensa, Paulo Fabrício Ucelli, nos concede espaços importantíssimos.

À minha diretora editorial, Simone Paulino, que me auxilia a buscar inspiração para repassar meu conhecimento a todos que desejam alcançar a saúde financeira, e também a toda sua equipe editorial.

Aos meus amigos – profissionais e pessoais – não nomeados aqui, para que eu não corresse o risco de esquecer alguém, mas que contribuíram, cada um a seu modo, para a realização desse projeto e dessa missão.

Sumário

3. Orçar

4. Poupar

Prefácio

No início deste século, havia a opinião quase unânime de que uma das áreas com maior demanda no mundo dos negócios seria a de "finanças pessoais".

De fato, os emaranhados aspectos no mundo financeiro trazem muita dificuldade para o cidadão comum, que deve se preocupar em captar e aplicar recursos, fazer investimentos, cuidar de seu futuro, planejar financeiramente a sua vida, estabelecer um orçamento familiar, entre outros aspectos da área de finanças.

A essas dificuldades, somam-se variáveis psicológicas, econômicas, sociológicas e, ainda, de contabilidade mental para o desenvolvimento das finanças pessoais de cada um. Por certo, muitos outros aspectos compõem esse complexo processo, que atinge todos os que pensam no futuro e preocupam-se com o bem-estar da família.

Felizmente, estudiosos, pesquisadores e mestres em finanças, pioneiros nessa área, envolvidos com as variáveis da psicossociologia, da contabilidade e da economia, começam a apresentar trabalhos, palestras, e a publicar livros que orientam as pessoas, ajudando-as a ter uma vida melhor.

Um desses pioneiros é, sem dúvida, Reinaldo Domingos. Além de ministrar palestras por todo o Brasil sobre o assunto, ele presenteia nossa sociedade com este livro.

Professor e educador, entre outras qualificações, Reinaldo Domingos consegue usar uma didática clara e envolvente, capaz de alcançar, por meio de uma linguagem acessível, até mesmo os mais leigos no tema. Aliás, o segredo desses estudiosos pioneiros é exatamente proporcionar uma linguagem que deixe o cidadão comum à vontade para absorver os conceitos propostos, permitindo-lhes praticá-los imediatamente.

Creio que muitos leitores serão favorecidos, pois esta obra lhes permitirá buscar com sucesso um padrão de vida equilibrado e, mais que isso, a educação financeira em suas finanças pessoais.

Para mim, é um grande prazer esta empreitada de prefaciar uma obra destinada a disseminar a cultura financeira de responsabilidade e prosperidade em nosso país.

Prof. Dr. José Carlos Marion

Professor titular do Departamento de Contabilidade e Atuária da FEA-USP (Faculdade de Economia e Administração da Universidade de São Paulo) e do Mestrado em Contabilidade na PUC-SP (Pontifícia Universidade Católica).

Apresentação

A origem do educador e terapeuta financeiro

Se você já me conhece, provavelmente sabe da minha intenção ao escrever este livro e confia no que vou dizer nas próximas páginas. Sabe também que minhas ideias em relação ao dinheiro fazem parte de algo concreto que aprendi e aplico – com excelentes resultados – em minha vida financeira.

Se não me conhece, vai querer saber um pouco mais a meu respeito. Por isso, acho importante resumir para você a minha trajetória. Nasci e cresci em uma família humilde. Sou de Casa Branca, cidade do interior de São Paulo, hoje com aproximadamente 30 mil habitantes. Meu pai era ferroviário e trabalhava na Companhia Mogiana de Estradas de Ferro, que depois passaria a se chamar Fepasa. Minha mãe cuidava da casa e dos filhos e ajudava a complementar a renda familiar vendendo produtos de beleza e bijuterias. Tínhamos uma vida simples, sem luxo ou extravagâncias, e com poucas possibilidades de realizar um dos meus primeiros sonhos: comprar uma bicicleta.

Desde cedo, me dei conta de que tudo o que eu quisesse conquistar na vida dependeria de mim, do meu esforço. Com essa determinação precoce em mente, aos 12 anos, arranjei meu primeiro trabalho, como auxiliar de camelô, na praça central da minha cidade. Como estudava na parte da manhã, busquei o que fazer para ganhar dinheiro, a fim de realizar meu sonho, e comecei a trabalhar das 15 às 18 horas, de segunda à sexta-feira, e aos domingos, das 4 horas da manhã até o início da tarde, em uma cidade próxima à minha, chamada Tambaú, visitada por romeiros devotos do milagreiro Padre Donizete.

Intuitivamente, percebi que precisaria guardar uma parte do dinheiro que ganhasse, se quisesse realizar meus sonhos, principalmente aqueles que eram mais difíceis de alcançar com os poucos recursos que eu tinha. Com essa disposição em mente, fui saber quanto meu sonho custava. Entrei na loja e perguntei quanto era a bicicleta que lá estava, na vitrine. Descobri que meu sonho de moleque custava o equivalente a 100 reais hoje.

A partir daí, dos 15 reais mensais que eu recebia, guardava 10 e gastava os outros cinco em guloseimas. Repeti esse processo durante dez meses e, quando consegui os 100 reais da bicicleta, fui imediatamente à loja.

Quando vi meu sonho realizado, experimentando a sensação inesquecível de finalmente poder ter minha bicicleta, passei a acreditar, com toda a força, que eu seria capaz de conquistar tudo o que desejasse na vida, se renovasse a cada dia minha capacidade de sonhar, mas sempre respeitando o tempo que as coisas levam para acontecer.

O tempo passou, mudei de emprego e, mesmo quando estive no exército, durante a prestação do serviço militar obrigatório, continuei guardando minhas economias. O período em que estive lá serviu para me ensinar algo útil para toda a vida: a disciplina que aprendi no quartel reforçou minha disposição natural de cumprir meu caminho, respeitando os limites do meu avanço, mas sem nunca perder de vista meus objetivos pessoais.

A cada dia, ficava mais clara para mim a importância de guardar dinheiro para realizar meus sonhos. Desde aquela época, eu já tinha em mente o propósito de guardar uma quantidade de dinheiro suficiente para não depender apenas dos meus ganhos mensais para me sustentar.

O fato é que, quanto mais eu via os resultados obtidos com minhas pequenas economias, mais eu me sentia motivado a continuar poupando. Foi então que comecei a alimentar o sonho de me mudar para São Paulo, onde, eu sabia, teria melhores oportunidades de crescer.

Com as economias que até então conseguira juntar, tive a segurança de deixar o emprego garantido e partir para o que muitos consideravam uma perigosa aventura. Foi assim que desembarquei na capital paulista em 1981, com uma mala na mão, pouco mais que o equivalente a 3 mil reais no bolso e a cabeça fervilhando de sonhos e esperança.

Os primeiros tempos não foram fáceis. Consegui emprego em uma loja da Rua Santa Efigênia e inicialmente dividi um apartamento com alguns conhecidos de minha cidade, até encontrar um novo lugar para morar.

Logo que entrei no curso de Ciências Contábeis, mudei de emprego e passei a trabalhar como assistente de contabilidade em uma empresa em Alphaville, Barueri (Grande São Paulo). Nessa época, comecei a buscar uma atividade paralela para reforçar meu orçamento. Arranjei um trabalho extra em outra empresa de contabilidade. Ali trabalhava aos sábados, domingos e feriados, e assim permaneci por seis anos, trabalhando duro e guardando dinheiro. Com essas atividades, concluí a faculdade e, na sequência, ingressei em uma pós-graduação na área de Análise de Sistemas.

Em 1986, percebi que todo o caminho traçado até ali me preparara para abrir meu próprio negócio. Comecei então a buscar nos jornais anúncios de venda de empresas contábeis. Lembro-me até hoje daquele anúncio do jornal *Primeiramão*: "Busco sócio que queira trabalhar. Facilito". Fui conhecer a empresa, que se resumia a uma pequena garagem coberta de telhas de cimento-amianto, luz de mercúrio e duas mesas muito velhas. Isto é, não havia uma empresa de fato, com estrutura montada, mas apenas uma pessoa física que chamava aquele espaço de escritório contábil. A carteira de clientes não passava de meia dúzia de empresas. Havia uma probabilidade considerável de que eu não conseguisse ganhar ali o equivalente ao que até então ganhava em meu emprego. Ainda assim, decidi apostar. Então, com 50% do valor de um Chevette e uma linha telefônica do plano de expansão da antiga Telesp, isto é, sem mexer em minhas economias, comprei a carteira de clientes e os ativos fixos desse lugar para abrir a Confirp Consultoria Contábil Ltda.

O primeiro passo foi estabelecer a visão de onde gostaria de chegar. Baseado nisso, decidi que a Confirp seria referência no segmento de contabilidade no Brasil, e sua missão, a de levar ao empresário informações que ajudariam nas decisões de seu negócio.

Crescendo com sustentabilidade e confiança, em poucos anos, a Confirp havia se transformado em uma empresa sólida e de muito prestígio no mercado. Quanto mais ela crescia e se fortalecia, mais eu me capitalizava para dar os próximos passos, com segurança e tranquilidade, sem alterar meu padrão de vida. Foi com essa estratégia em mente que, em 1990, ainda morando na mesma pensão dos tempos de faculdade, comprei a primeira sede da Confirp – e também a minha primeira casa.

Desde então, norteado pela convicção de que poderia atingir todas as minhas metas, desde que soubesse administrar com eficiência os meus recursos financeiros, minha empresa e meu patrimônio pessoal se expandiram, o que aumentou meu poder de compra e colocou-me na posição de investidor cada vez mais respeitado pelas instituições financeiras.

Em todo o meu trajeto, sempre que possível, procurei passar para as pessoas com as quais convivia a forma como eu agia, que se resumia a um jeito de fazer que me possibilitou atingir a independência financeira aos 37 anos de idade. Fui percebendo, de modo cada vez mais claro, o quanto as pessoas tinham dificuldade para evoluir em suas finanças pessoais, sobretudo pela falta de disciplina para poupar parte do que ganhavam.

Em 2001, tive a ideia de criar um *site* para ajudar as pessoas no controle de suas finanças: o Financeiro 24 horas, que se tornou, na época, uma importante ferramenta de controle do dinheiro por meio da internet e, a partir de 2012, transformou-se em uma empresa desenvolvedora de soluções tecnológicas. Naquele momento, definitivamente, percebi o quão era difícil para as pessoas guardarem dinheiro, devido à falta de hábito de controlar seus próprios gastos.

Aprendi que uma planilha financeira pode, sim, ajudar algumas pessoas a buscar o equilíbrio; pessoas que, ao se organizar, conseguem encontrar sozinhas o caminho. Mas planilhas apenas não resolvem o problema financeiro de milhões de indivíduos, porque não promovem a transformação necessária. Naquela época, entendi que precisaria continuar refletindo sobre a questão até encontrar um mecanismo mais eficiente para auxiliar as pessoas.

De 2003 para cá, minha atuação como educador financeiro se expandiu, ainda que essa expressão não fosse muito conhecida no mercado empresarial, tampouco na mídia. Inicialmente, minhas orientações eram informais, conhecimentos compartilhados com amigos, familiares e clientes, os quais eu procurava ajudar a partir da minha experiência de vida.

Mas, a partir de um dado momento, passei a me dedicar cada vez mais à educação financeira, realizando palestras em entidades como Rotary Club, Associações Comerciais e Industriais e em empresas. Também cresceu a minha participação em programas de rádio e televisão, para falar sobre o assunto. Por fim, comecei a produzir artigos para várias mídias.

Contudo, percebi que a educação financeira não era apenas um trabalho de disseminar conhecimento; envolvia também um olhar profundo para a pessoa humana, uma vez que o comportamento estava implicado no processo. Tratava-se, assim, de ajudar a pessoa a conhecer o seu "eu" financeiro, o que deu ao trabalho de orientação um caráter de terapia.

Anos e anos de prática cotidiana do controle financeiro na minha vida pessoal, nos negócios de meus clientes, nas orientações transmitidas em artigos e entrevistas, bem como em meu trabalho terapêutico, por meio da análise do comportamento de amigos e conhecidos, levaram-me à criação de uma metodologia para lidar com as finanças pessoais de uma forma saudável, considerando os aspectos comportamentais da relação que as pessoas mantêm com o dinheiro.

Mas era preciso mais. Era necessário encontrar um jeito de fazer essa metodologia chegar não apenas a pessoas isoladas, mas atingir mais pessoas, o que me fez colocar minhas ideias no papel, compilando as práticas cotidianas que eu vinha adotando desde a infância, os conceitos desenvolvidos, os temas que mais preocupavam as pessoas... enfim, escrever este livro. Com esse material em mãos, resultado de anos de reflexão e observação do comportamento das pessoas na sua vida financeira, nasceu o *Terapia Financeira*. Síntese de uma vida, de uma filosofia de vida que me fez conquistar minha independência financeira e acreditar que essa conquista pode ser sua também.

O livro *Terapia Financeira* foi desde seu lançamento um grande sucesso, porque conseguiu levar para milhares de pessoas uma visão simples e objetiva de como elas poderiam aprender a cuidar melhor do seu dinheiro. No entanto, percebi que nós adultos temos muita dificuldade em mudar os hábitos e costumes que aprendemos na infância. Pensando nisso, lancei em 2008 meu segundo livro, só que dessa vez para crianças, *O Menino do Dinheiro*, com o intuito de ensiná-los desde cedo a cuidar bem do próprio dinheiro. Durante visitas em escolas e em creches e, também, entrevistas, desenvolvi e adaptei a **Metodologia DSOP** - que contempla quatro pilares: Diagnosticar, Sonhar, Orçar e Poupar - de forma lúdica, embasada em minha vida pessoal.

Pensando nas diversas possibilidades para disseminar a **Metodologia DSOP** para o maior número de pessoas, criei, primeiramente, o Instituto DSOP de Educação Financeira, que em seguida passou a se chamar DSOP Educação Financeira e tem como premissa formar educadores financeiros engajados e dispostos a passar adiante os ensinamentos adquiridos.

Isso porque, ter somente um livro de *softbusiness* e um livro paradidático de ficção não atenderia ao meu grande sonho, que era fazer com que as crianças pudessem verdadeiramente criar novos hábitos e comportamentos adequados em relação ao dinheiro. Por isso fui buscar junto às editoras de livros a possibilidade de apoio em meu novo projeto: lançar uma Coleção Didática de Educação Financeira para o Ensino Básico. Mas qual foi minha grande surpresa? Recebi diversos "não". Umas disseram que o investimento seria muito alto, outras me pediram para aguardar uma futura resposta. Acredite, se eu tivesse que esperar, estaria até hoje esperando. Não me restou outra alternativa, senão abrir minha própria editora.

Em 2009, reuni alguns profissionais da área pedagógica e fui desenvolvendo com eles versões e mais versões, testes pilotos em algumas escolas. Até que, em 2010, lançamos para o mercado educacional a primeira Coleção Didática DSOP de Educação Financeira, composta por 15 livros do aluno e 15 cadernos do professor. Desde então, a coleção vem ocupando seu espaço no mercado editorial junto às escolas privadas e públicas. A empreitada compreende não somente livros mas também um programa de educação financeira para o ensino básico, que contempla desde a capacitação dos professores à realização de palestras de sensibilização para os pais. Encontrei também outros obstáculos nessa importante tarefa quando precisei fazer a distribuição dos livros. Com mecanismos ineficazes no mercado e que não atendiam a minha demanda, abri minha própria logística de distribuição.

Hoje seguimos levando novidades para o mercado editorial de educação financeira. Decidimos transformar o livro *O Menino do Dinheiro* em uma série de cinco obras. Criamos uma série paradidática, *O Menino e o Dinheiro,* de ficção, também para o ensino infantil. Em 2011, lançamos os livros *Livre-se das Dívidas* e *Ter Dinheiro Não tem Segredo*, este último voltado para o público jovem. Em 2012, lançamos uma obra destinada ao público feminino, *Eu Mereço Ter Dinheiro*. Em 2013, lançamos a *Coleção Dinheiro sem Segredo*, composta por 12 obras de diversos temas relacionados à educação financeira. Ainda em 2012, abrimos nossa própria estrutura editorial certificada nos padrões ISO-9001.

De auxiliar de camelô a contador, proprietário contábil, empresário do ramo de finanças, palestrante de educação financeira, autor de obras sobre o tema, formador de educadores financeiros multiplicadores da **Metodologia DSOP**, proprietário da primeira editora especializada em educação financeira, fundador da primeira franquia de educação financeira do Brasil ligada à Associação Brasileira de *Franchising* – ABF para que a profissão de Educador Financeiro tivesse seu reconhecimento e regulamentação e fundador da Associação Brasileira de Educadores Financeiros – Abefin. Um dos grandes ensinamentos que tive ao longo da minha vida foi o de que cada "não" que recebi das editoras e distribuidoras me impulsionou mais longe neste maravilhoso mundo do empreendedor editorial e da educação financeira.

Certamente, a história não para por aqui. Temos muitos sonhos para serem realizados, espero que, ao ler esta obra, você possa realmente aplicar passo a passo nossos ensinamentos. Acredite, o maior desafio é você dar o primeiro passo e lembre-se de que uma escada se sobe degrau a degrau, é preciso acreditar e perseverar.

Espero que você o leia e, se possível, mais de uma vez. Desejo que o *Terapia Financeira* seja seu livro de cabeceira, aquele livro no qual você possa encontrar respostas e soluções para a maioria das suas aflições em relação ao dinheiro. E, principalmente, que possa encontrar nele o caminho para a realização dos seus sonhos de curto, médio e longo prazos, de forma sustentável e próspera financeiramente.

Introdução

Satisfação ou o seu dinheiro de volta

Você pode até se perguntar: "Será que preciso mesmo me educar financeiramente?"; "Que efeito este livro terá sobre a minha atual condição?"; "Será que adianta ler sobre o assunto?"; "Educação financeira também se aprende ou é aquele tipo de coisa que alguns sabem, outros não, e ponto?"; "Afinal, preciso mesmo de uma terapia financeira?".

Em primeiro lugar, quero lhe dizer que somente o fato de você ler essas primeiras linhas e fazer essa breve reflexão revela, por si só, que você busca, sim, uma forma diferente de cuidar de seu dinheiro e da sua educação financeira. Acredite: se este livro chamou sua atenção, é porque ele tem algo a lhe oferecer. Algo que talvez você tenha consciência de que precisa, ou, simplesmente, a intuição de que precisa, mesmo sem estar convicto disso.

Mais que tentar convencê-lo, proponho-lhe um pacto: se, ao final desta leitura, você achar que ela não agregou nada à sua condição financeira atual, não o estimulou a olhar de outra forma para seu dinheiro, não lhe abriu as portas da consciência para a necessidade de poupar nem o motivou (com orientações práticas e eficazes) a iniciar uma transformação em sua vida, você poderá exigir seu dinheiro de volta. Isso mesmo! Ou eu cumpro minha missão de ajudá-lo a viver melhor, com a tranquilidade de não ser refém do seu dinheiro – ou da falta dele –, ou você terá direito de reaver o que pagou pelo livro.

Minha missão é disseminar a educação financeira no Brasil e no mundo, e uma das primeiras lições que norteiam essa missão é respeitar o dinheiro. Por isso, pergunto a você: “Se, a partir de hoje, você não recebesse mais o seu ganho mensal, por quanto tempo conseguiria manter seu atual padrão de vida?”. Essa pergunta tem levado as pessoas a refletir, motivando-as a continuar fazendo o que fazem, mas de forma diferente.

Este livro mudará a forma como você lida com o dinheiro, pois lhe trará o conhecimento de uma metodologia simples e eficaz, sem fórmulas mirabolantes ou teorias complicadas, capaz de pôr sua vida financeira nos trilhos.

O importante é saber que o primeiro passo você já deu. Buscar informações sobre o assunto é uma atitude muito positiva e demonstra desejo de melhorar, seja qual for sua situação atual. Com isso, você já saiu da inércia em que a maioria das pessoas se encontra. O mais comum é ouvir alguém dizer: “Ganho tão pouco que não vale a pena me preocupar em controlar o meu dinheiro. O jeito é viver um dia depois do outro”. Ou: “Ganho tão bem que não preciso me preocupar em controlar meu dinheiro. O melhor que tenho a fazer é aproveitar o dia de hoje”.

Nessas duas posturas, há um equívoco comum. O sucesso financeiro não depende de quanto você ganha, mas de como você lida com o que ganha. Já ouviu aquela máxima: “Não importa o que a vida faz com você, o que importa é o que você faz com o que a vida faz com você”? O raciocínio aqui é parecido. O primeiro passo é uma questão de atitude, e o fato de comprar este livro – e lê-lo – já é uma tomada de atitude louvável. Você sabe que precisa de ajuda para lidar melhor com seu dinheiro. E acredite: você não é a única pessoa nessa situação.

Em geral, nem nossos avós, nem nossos pais aprenderam de uma forma estruturada a lidar com o dinheiro. Conosco não é diferente. Trata-se de uma dificuldade que aflige gerações após gerações; portanto, a partir deste momento, você tem a oportunidade de quebrar esse ciclo.

É muito comum ouvir que para aprender é preciso errar. Mas o erro reiterado costuma deixar marcas que, para serem corrigidas, podem levar um longo tempo. Portanto, quem começar acertando ou conseguir corrigir os erros mais rapidamente, estará em melhores condições que os demais. Aprendi em minha trajetória financeira que o ciclo do sucesso financeiro começa por respeitar o dinheiro que se ganha e poupar antes de gastar, sempre priorizando os sonhos.

Muitos pais tentam mostrar aos filhos como é importante ganhar dinheiro, mas raros são os que se preocupam em prepará-los para controlar esse dinheiro, gerando riqueza para si e para os outros, até porque nem mesmo eles têm conhecimento para passar essa orientação adiante.

Desde o momento em que chegamos ao mundo, geramos despesas, mesmo sem nos darmos conta disso. O custo de vida de um ser humano antecede seu nascimento. Basta pensar nas despesas de enxoval, acomodação para o bebê, móveis, hospital, consultas e vitaminas para a mãe, entre tantos outros inevitáveis gastos que surgem com a chegada de um filho. Essa simples reflexão já deveria ser suficiente para justificar a necessidade de um controle por parte de quem deseja ter um ou mais filhos. E a transmissão do conhecimento adquirido em relação à vida financeira deveria ser prioridade na formação desses filhos.

Trata-se, no entanto, de uma lição que, infelizmente, não nos é ensinada em nenhuma fase da vida. Sempre que nos referimos à educação moral de uma pessoa, pensamos na célebre frase: "Educação vem de berço", o que significa nossa plena consciência de que a ética que exercitamos ao longo da vida é plantada, em larga medida, ainda na primeira infância, pelos pais ou responsáveis. Com a educação financeira, não é diferente. O modo como administraremos nossos recursos ao longo da vida é determinado pelos ensinamentos que recebemos.

No entanto, o que acontece quando esses ensinamentos não nos são passados? O mais comum é tomarmos como exemplo, seja por assimilação, seja por oposição, os modelos e as crenças de nossos pais. Então, se tivermos pais equilibrados e conscientes, é possível que sejamos bem-sucedidos. Ou não. Pois podemos, por conta de uma rebeldia inconsciente, querer ser justamente o oposto. Assim, de um jeito ou de outro, não teremos um referencial seguro no qual nos espelhar e amparar.

Bem, uma vez estabelecida a falha no seio familiar, o caminho para preencher essa lacuna poderia ser o das escolas, mas, até bem pouco tempo atrás, a educação financeira sequer era citada nos currículos escolares. Felizmente, com a criação da Enef – Estratégia Nacional de Educação Financeira, instituída pelo Governo Federal em 22 de dezembro de 2010, essa realidade tende a mudar.

A Enef institui, entre outras coisas, que a temática seja incluída no ensino básico e que outras iniciativas sejam desenvolvidas, para orientar também os adultos. Prova desta mobilização se deu pela Portaria 723 do Ministério do Trabalho em abril de 2013, que mostra a grande preocupação com o aumento sucessivo do endividamento dos trabalhadores, em especial os jovens, quando logo no primeiro trabalho já lideram a fila dos inadimplentes no país. Ou seja, o reconhecimento da importância da educação financeira na vida das pessoas já é um fato concreto. Mas ainda temos um longo caminho pela frente, inclusive para superar o estigma de que a educação financeira está relacionada às ciências exatas, quando, na verdade, o componente comportamental, os hábitos e costumes, é que estão na base de tudo.

Esse é o momento de quebrar o círculo vicioso e substituí-lo por algo virtuoso, que tenha impacto positivo em todas as gerações! Se fizermos isso a partir de agora, além de uma melhora quase imediata em nossa qualidade de vida pessoal e familiar, daqui a vinte anos certamente teremos outra realidade em nosso país.

Sabemos que o crescimento econômico sustentável que se espera do Brasil depende, em grande parte, de uma urgente revolução na educação formal. Eu acrescentaria à essa revolução a necessidade de instruir nossa população também no que se refere à administração do dinheiro.

Fala-se muito na melhor distribuição da riqueza, hoje concentrada nas mãos de poucos em nosso país. Todavia, além de distribuir, é preciso ensinar a gerir e a gerar riqueza a partir das fatias do bolo que couberem a cada um, com base em uma distribuição mais justa. Do contrário, não será possível romper definitivamente o círculo de miséria ao qual tantos hoje se veem condenados.

A essa altura, você talvez pense: "Puxa, mas essa história de educação financeira, então, é mais um daqueles ensinamentos teóricos que deveríamos ter aprendido na escola e que, no fim das contas, não servem para a vida prática?". Aí é que está o diferencial deste livro. Ele não está baseado em uma teoria, no seu sentido mais puro. Ao contrário, tem origem em uma prática simples e acessível a qualquer um. A ideia é que, seguindo as orientações aqui apresentadas, você possa aplicar cada uma das lições à sua rotina diária, começando a desfrutar dos efeitos benéficos de tal mudança de comportamento em sua vida.

Este livro está embasado na **Metodologia DSOP**:
Diagnosticar
Sonhar
Orçar
Poupar

Quatro pilares sobre os quais eu construí minha história de sucesso financeiro.

Na primeira parte deste livro, eu o ajudarei a identificar qual é sua situação financeira atual, de forma que você saiba em que ponto do caminho está e quanto terá de percorrer para alcançar seu objetivo: ser sustentável financeiramente.

O passo seguinte será despertar em você os sonhos que servirão de combustível para enfrentar os desafios da jornada. Ou seja, os objetivos que deseja realizar ao longo do caminho, já que sonhar é condição fundamental para que o ser humano cresça e se torne o que quer ser. Desde já, siga fazendo a si mesmo esta pergunta básica, que será desdobrada na segunda parte do livro: “Qual é meu sonho?”.

Na sequência, você será conduzido à terceira parte da obra, na qual aprenderá o que é, de fato, fazer um orçamento. Todavia, aqui não se trata de um orçamento convencional, no sentido burocrático do termo, mas de estabelecer as etapas, os recursos e as estratégias necessárias para a realização de seus sonhos.

Concluído mais esse trecho da caminhada, você estará equipado para pôr em prática o mecanismo principal que lhe permitirá atingir seu sonho de ser independente financeiramente de maneira concreta, poupando sempre uma parte de todo o dinheiro que passar por suas mãos. Garanto que, depois de ultrapassar cada uma dessas etapas, sua vida financeira jamais será como antes, independentemente do seu nível de rendimento e das suas dívidas atuais – se você as tiver.

E aqui está um ponto-chave: por mais que a gente queira tomar as atitudes corretas, muitas vezes nossos propósitos são sabotados, não só pelos outros como também por nós mesmos. Se, ao ler o início deste parágrafo, passou por sua cabeça: "Você fala isso porque não sabe o tamanho da enrascada financeira em que estou", minha resposta é: "Não importa quão complicada seja sua situação financeira, VOCÊ PODE virar o jogo!". E minha missão é prepará-lo para essa batalha. Vamos em frente!

D

1. Diagnosticar

ENTENDA A EPIDEMIA DO DESEQUILÍBRIO FINANCEIRO

Entenda a epidemia do desequilíbrio financeiro

Segundo o *Novo Dicionário Aurélio da Língua Portuguesa*, o significado da palavra diagnosticar é "fazer o diagnóstico de algo", e um dos significados da palavra diagnóstico é "conhecimento das doenças pelos sintomas que elas apresentam".

Isso significa que a palavra diagnosticar não está aqui por acaso. Ela representa a visão que adquiri ao longo da vida ao observar o comportamento das pessoas em relação ao dinheiro, percebendo que a maioria sofre de uma espécie de doença, um desequilíbrio dos seus "órgãos financeiros".

O desequilíbrio financeiro é como uma doença que pode apresentar vários sintomas, cada um vai exigir um tratamento. Alguns podem sofrer apenas de uma leve "labirintite financeira". São aquelas pessoas que, vez ou outra, ficam meio desequilibradas, gastam além da medida, mas logo se recompõem, estabilizam a situação e seguem adiante.

Há também aqueles cujos membros inferiores são afetados a ponto de ficarem prejudicados e não saírem mais do lugar. Você já notou que, para dizer que alguém está em dificuldade financeira, às vezes usamos a frase: "Fulano está mal das pernas"?

Quem não conhece alguém mais ou menos próximo que está com dificuldades de sair do lugar? O que ganha é o que gasta. O que gasta é o que ganha. Como se as forças das próprias pernas estivessem comprometidas, atrofiadas.

Em casos mais graves, o "estar mal das pernas", que pode ser entendido como não encontrar meios para se livrar da dívida do cheque especial ou do cartão de crédito, por exemplo, pode evoluir para o "estar quebrado" – isto é, falido, sem condições de arcar com as dívidas acumuladas, com restrições de crédito e correndo o risco de perder o que conquistou em sua vida.

Todas essas são formas simbólicas de dizer que há uma doença em curso, corroendo a saúde da pessoa em questão. O problema se agrava quando a situação sai do controle, ou seja, o desequilíbrio financeiro aumenta rapidamente, invadindo a vida profissional, empresarial e familiar do indivíduo, sem que se tenha tempo de controlá-lo antes do estrago maior.

Contudo, qualquer que seja a natureza do seu problema, se sua saúde financeira está abalada, você precisa de um diagnóstico financeiro imediato. Quanto antes souber a dimensão do problema, mais rápido encontrará o caminho para se livrar dele. Conscientizar-se é o primeiro passo, e para isso você terá de refletir sobre as questões abaixo. Vamos a elas.

Faça um levantamento dos seus rendimentos

Quando perguntamos a uma pessoa quanto ela ganha, quase sempre recebemos uma resposta que não condiz com a realidade. Por exemplo, imaginemos alguém cujo salário bruto mensal seja mil reais. Ao responder quanto ganha por mês, essa pessoa dirá imediatamente: "Eu ganho mil reais". Se for um profissional com carteira assinada, a resposta estará errada, pois desse valor ele precisaria deduzir os descontos oficiais, como os do INSS, vale-transporte, vale-refeição, assistência médica, entre outros. Sendo assim, o valor real do seu ganho mensal seria de aproximadamente 850 reais.

Dependendo de sua faixa de rendimento, você pode pensar: "Mas que importância tem isso? Afinal, são só 150 reais de diferença".

Digo-lhe, então, que isso é muito importante. Não são somente 150 reais de diferença, mas uma diferença de 15% do valor bruto do rendimento, percentual muito representativo, independentemente da renda em questão.

Por que isso é importante? Porque, ao interiorizar a informação de que ganha mil reais, tal pessoa passará a viver fora de sua realidade, gastando, no mínimo, 15% a mais do que realmente poderia gastar. De modo inconsciente, ela adota o número "mil" como parâmetro – contudo esse parâmetro está errado.

Quem deseja obter equilíbrio financeiro precisa ter plena consciência de seus rendimentos, saber exatamente o valor disponível para fazer frente às suas despesas, compromissos e investimentos. O mesmo se aplica a profissionais liberais, autônomos e empresários. É preciso computar de forma precisa os valores recebidos ao longo do mês e, se possível, do ano, para descobrir quais são suas reais margens de manobra.

Pessoas com rendimentos variáveis podem, igualmente, cair em armadilhas, armazenando na memória apenas o rendimento bruto, sem descontar impostos e despesas comuns a quem trabalha como autônomo – além de, em certos períodos, poderem ter ganhos bem acima da média, enquanto que, em outros, não ter rendimento nenhum. Nesses casos, conhecer com precisão os movimentos de entrada de dinheiro é ainda mais importante.

De início, sugiro apenas que você procure calcular quanto possui de rendimento mensal, incluindo salários e comissões, se os tiver. Como exercício, preencha o quadro a seguir:

EXERCÍCIO DE RENDIMENTO MENSAL		VALOR (R$)
A	Rendimento bruto (salários, comissões, bônus)	
B	Descontos diversos (INSS, IRRF, outros)	
	Rendimento líquido mensal C=(A-B)	

Caso você seja um profissional liberal, autônomo ou empresário, liste da forma mais precisa possível os valores médios recebidos nos últimos três meses.

Depois de fazer esse levantamento mensal, calcule quanto os rendimentos representam ao longo do ano, incluindo férias e décimo terceiro salário, se você os tiver; ou, ainda, bônus e comissões, se esse for o seu caso. Conforme o quadro abaixo:

EXERCÍCIO DE RENDIMENTO ANUAL		VALOR (R$)
A	Rendimento bruto (salários, comissões, bônus)	
B	Outras receitas (13º salário, férias, outros)	
C	Descontos diversos (INSS, IRRF, outros)	
	Rendimento líquido anual D=(A+B-C)	

Os exercícios anteriores lhe darão a primeira imagem de seu rendimento mensal e anual. Mesmo que os rendimentos mensais não sejam muito altos, você provavelmente vai se surpreender ao calcular o valor total deles ao longo de um ano.

Ao começar a refletir sobre seus rendimentos, você dará início a um processo de mobilização psicológica fundamental em seu comportamento financeiro: a conscientização.

Procure ser o mais fiel possível. Estimativas quase sempre falseiam a realidade. Assim, fique atento para não cair na armadilha de superestimar ou subestimar os valores. Não deixe que sua mente sabote essa iniciativa e siga em frente.

Observe seu comportamento financeiro no microscópio

Caso eu perguntasse se você sabe quanto gasta, é bem provável que seu primeiro impulso seria dizer, taxativamente: "Claro que sei". Contudo, garanto que 90% das pessoas pensam que sabem, mas de fato não sabem; elas não possuem um controle preciso sobre seus gastos. Isso porque a maior parte está acostumada a registrar, quando muito, as despesas maiores, como prestação da casa, energia elétrica, entre outras.

Veja como o cálculo é feito pela maioria:

DESPESAS	VALOR (R$)
Água	60,00
Energia elétrica	70,00
Cosméticos, cabeleireiro	80,00
Curso de idiomas	110,00
Roupas e calçados	150,00
Diversão e lazer	120,00
Gorjetas	20,00
Telefone	95,00
Mercado	330,00
Transporte	170,00
Faculdade	450,00
Total das despesas	**1.655,00**
Total de receitas	1.800,00
(-) Total de despesas	1.655,00
Resultado positivo	**145,00**

O problema é que saber o valor do aluguel ou da prestação da casa própria, calcular os gastos com ônibus, metrô, táxi ou combustível, saber por cima a conta do supermercado, bem como computar o valor da mensalidade escolar; nada disso produz uma radiografia completa de sua situação.

Você já deve ter passado pela experiência de receber determinado rendimento e, dias depois, tomar um susto ao consultar o saldo da conta-corrente ou a carteira e perceber que o dinheiro foi todo embora. Quantas vezes você já se fez a famosa pergunta: "Onde foi parar meu dinheiro?".

O que lhe proponho a partir de agora é que você faça essa pergunta para si mesmo (e a responda) com mais frequência. Sim, porque, para diagnosticar com precisão seu estado de saúde financeira, é imprescindível que você tenha uma visão completa do funcionamento do seu organismo financeiro.

Quando algum sintoma de desequilíbrio é detectado em nós, e somos atendidos no pronto-socorro, o procedimento médico começa pelo exame geral de nossas funções vitais: pulso, batimentos cardíacos, temperatura, pressão arterial etc. Fazendo uma analogia com o corpo humano, o equilíbrio entre rendimentos e despesas diz respeito às funções vitais do organismo financeiro. Elas correspondem quase sempre ao nível de saúde financeira que você tem.

Talvez você pense: "Ora, eu já sei isso". E eu lhe digo: Você pensa que sabe, mas não sabe! Simplesmente porque não controla os pequenos gastos; não tem um contato verdadeiro com essa sua realidade.

Acredite: nas pequenas despesas, não consideradas no cálculo superficial que fazemos, reside o germe do desequilíbrio financeiro. Tais gastos miúdos vão corroendo nosso dinheiro, minando nosso chão, sem nos darmos conta disso. Quando, uma vez ou outra, entramos em contato com essa realidade, fazendo um balanço mínimo dos gastos, nossa primeira reação é pensar: "Estou ganhando pouco. Meu dinheiro não dá para nada".

Pode até ser que você, de fato, esteja ganhando menos do que merece, mas isso nada tem a ver com o fato de estar sem dinheiro. Afinal, se você ganhasse 10% a mais, provavelmente gastaria 10% a mais. Se ganhasse 20% a mais, gastaria 20% a mais, pelo simples motivo de não ter nenhum controle sobre seu dinheiro. E se você não controlar seu dinheiro, ele certamente controlará você!

O equilíbrio financeiro depende diretamente da visão mais ou menos detalhada que você tem de suas receitas e despesas. Se não tiver equilíbrio nas duas pernas, não conseguirá andar. Se não tiver equilíbrio nas receitas e nas despesas, não conseguirá sair do lugar financeiro em que se encontra, seja ele qual for.

Desse modo, é fundamental que você saiba exatamente qual é seu condicionamento financeiro, pois isso lhe permitirá desenvolver ao longo do tempo a capacidade de dar um salto quando surgir alguma oportunidade, desviar-se dos buracos que surgirem inesperadamente à sua frente. Além disso, com as receitas e as despesas equilibradas, você será capaz de criar uma reserva de energia adicional para usar como e quando bem entender.

Você deve estar se perguntando: "Tudo bem, mas como eu faço para ter uma radiografia detalhada dos meus gastos?". Acredite: há um jeito fácil e eficaz de fazer isso, muito mais simples do que você imagina. Vamos a ele.

Registre todos os seus pequenos e grandes gastos

Se eu lhe perguntasse quanto você gasta por mês com gorjetas, manicure, chope, cafezinho ou balada, você possivelmente teria dificuldade em dizer o valor com precisão, certo? Pois minha proposta é que, a partir de hoje, você saiba para onde vai cada centavo e controle, principalmente, os pequenos gastos. Para tanto, precisará anotar tudo o que gasta diariamente. Exercite sua memória e tente relacionar seus gastos por tipo de despesa:

MÊS

DIA	VALOR	DESPESA	FORMA DE PAGAMENTO
	R$		
	R$		
	R$		
	R$		
	R$		
TOTAL	**R$**		

Veja bem, não estou dizendo que você deva, no final do dia, fazer as contas e dizer: "Hoje gastei 10 reais" ou "Hoje gastei 20 reais". Não! O que estou propondo é que você anote como gastou esses 10 reais ou 20 reais. É importante entender que você deve registrar seus gastos por tipo de despesa, como transporte, supermercado, feira, padaria, escola, balada, cafezinhos e até gorjetas. Depois disso, a totalização mensal por tipo de despesa deverá ser lançada em seu orçamento financeiro mensal, que veremos mais adiante.

O importante é que você anote tudo, todos os dias, por tipo de despesa, totalizando os primeiros trinta dias, caso tenha rendimento fixo. No caso de rendimentos variáveis, como autônomos, empresários e profissionais liberais, é necessário repetir essas anotações por três meses seguidos, obtendo assim a média de gasto por tipo de despesa.

Talvez você pense: "Ah, mas eu não vou fazer isso mesmo! Vai dar muito trabalho!", uma reação muito comum e previsível, afinal dificilmente estamos predispostos a mudar nossos hábitos e comportamentos – por mais que eles nos prejudiquem.

É assim também na medicina. A prevenção de doenças que dependem de mudança de comportamento é a mais complicada, porque nós, seres humanos, somos animais de hábitos, e um hábito enraizado é difícil de ser mudado. Mas pense comigo: se você já chegou até aqui, por que perder a chance de ir em frente e pôr à prova o que foi prometido desde a primeira linha deste livro?

Saiba que todos nós temos um pouco de medo de entrar em contato com a verdade, de olhar e ver a realidade tal como ela é, sem máscaras ou disfarces. Com dinheiro, não é diferente. Em geral, preferimos fingir que não é conosco, arranjar desculpas e desviar do assunto. No entanto, lembre-se de que nas primeiras páginas fizemos um pacto, no qual eu garanti que, se não conseguisse ajudá-lo, você teria seu dinheiro de volta, certo? No entanto, sejamos justos: você também precisa fazer a sua parte.

Comece hoje mesmo a anotar cada centavo que gasta, utilizando o Apontamento de Despesas, disponível no Portal DSOP: www.dsop.com.br. Veja a seguir como fazer essas anotações.

Apontamento de Despesas

MÊS JULHO **DESPESA** GULOSEIMAS

DIA	VALOR	FORMA DE PAGAMENTO
05	R$ 6,00	CARTÃO DE DÉBITO
06	R$ 1,15	VALE-REFEIÇÃO
15	R$ 3,00	DINHEIRO
20	R$ 2,85	DINHEIRO
22	R$ 3,00	DINHEIRO
25	R$ 4,00	CARTÃO DE CRÉDITO
28	R$ 6,00	CARTÃO DE DÉBITO
29	R$ 3,00	CHEQUE
TOTAL	**R$** 29,00	

No início, talvez se sinta meio incrédulo, sem saber se, realmente, esse exercício irá ajudá-lo. Então raciocine comigo: se até hoje você cuidou do seu dinheiro à sua maneira e, mesmo assim, os resultados obtidos não foram satisfatórios, pode ser que esteja na hora de modificar a forma de administrar suas finanças, para atingir outros resultados.

Esta é uma frase da qual gosto muito: "Se você quer que sua vida continue exatamente como está, continue fazendo tudo exatamente como faz". Contudo, se deseja mudá-la, comece mudando seus hábitos!

A metodologia que proponho aqui o ajudará a mudar imediatamente seu comportamento em relação ao dinheiro. Você se surpreenderá com os gastos que, até então, julgava insignificantes; enxergará os ralos pelos quais seu dinheiro tem se perdido.

Proponho, agora, que você preencha a tabela a seguir, de acordo com estas instruções:

- **Faça uma previsão de quanto você gastará por tipo de despesa durante os próximos sete dias.**
- **Anote as despesas no momento da compra, pois, se deixar para depois, certamente esquecerá.**
- **Compare diariamente, ou no final dos sete dias, as despesas previstas com as realizadas. Você terá uma grande surpresa.**

Pode ser que, de início, a constatação do excesso de gastos e a diferença entre o imaginado e o real lhe causem certo desconforto. É difícil enfrentar a realidade. Todavia, se persistir em sua decisão, rapidamente tomará gosto pelo hábito de anotar as despesas. Talvez até se torne divertido. Na sequência, provavelmente, sentirá necessidade de registrar tudo e ficará chateado quando não o fizer.

Essa mudança de suas sensações sinaliza uma conquista muito importante, pois quanto mais inclinado estiver para dar continuidade ao processo, mais você tomará as rédeas de seu futuro financeiro nas mãos, e logo estará pronto para virar a mesa e passar a dar as cartas nesse jogo.

Despesa	Valor previsto (R$)	Valor realizado (R$)	Diferença (R$)
PRIMEIRO DIA			
SEGUNDO DIA			
TERCEIRO DIA			
QUARTO DIA			
QUINTO DIA			
SEXTO DIA			
SÉTIMO DIA			

As pessoas que já testaram a **Metodologia DSOP** são unânimes em afirmar que não tinham ideia de quanto gastavam no dia a dia sem perceber. Ou achavam que gastavam um determinado valor, por exemplo, na padaria ou com guloseimas, e acabaram descobrindo que o gasto era muito maior, porque passaram a registrar tudo. O efeito é semelhante ao que ocorre quando olhamos para um objeto conhecido com o auxílio de uma lupa: detalhes antes invisíveis saltam aos olhos, proporcionando uma visão um pouco mais nítida da real situação.

O resultado desse primeiro impacto, então, começará a ser sentido imediatamente. Em princípio, tendo consciência do que cada gasto representará no cálculo de suas despesas mensais, o mais natural é que você, sem perceber, passe a pensar duas vezes antes de gastar. Veja que não estou dizendo que passará a se sentir culpado por gastar. Não se trata disso. Apenas que você, gradativamente, passará a ter controle sobre os próprios gastos, e gastará melhor. Tal sensação vai se intensificar a cada dia de anotação, porque a mente e o apontamento estarão conectados com os valores totais e tratarão de alertá-lo sobre quanto já foi gasto em cada item, algo de que, antes, você não tinha a menor ideia.

Nesse período, pode ser que sinta uma vontade imensa de compartilhar a experiência com seus familiares, querer que eles também adotem esse hábito. E eu lhe digo: se houver abertura por parte do parceiro e dos filhos, se eles aceitarem entrar no processo desde o início, ótimo! Organize uma reunião familiar para debater os dados levantados, conscientizando cada membro da família da situação em que vocês estão. Se possível, estabeleçam juntos algumas estratégias iniciais para reduzir os gastos de imediato; assim certamente estarão em melhores condições financeiras em bem menos tempo.

No entanto, se houver, como é natural que haja, algum grau de resistência por parte dos outros, o melhor é dar tempo ao tempo, fazendo a sua parte. Neste caso, simplesmente anote os valores que eventualmente forem repassados para eles, seja como mesada, seja como dinheiro para despesas extras. Mas anote, pois isso também servirá de argumento no futuro para conscientizá-los e, assim, buscar a adesão deles à sua nova prática. À medida que eles perceberem seu empenho e perseverança, serão atraídos. Aos poucos, até as crianças poderão ser envolvidas, com pequenas adaptações na técnica e dentro da capacidade de compreensão e aprendizagem delas.

A primeira parte da técnica em si é simples: anotar todos os gastos, todos os dias, detalhadamente, desde as despesas fixas e grandes até uma bala, uma gorjeta e gastos esporádicos. A **Metodologia DSOP** é de fácil execução. Qualquer dificuldade que aparecer será muito mais de ordem psicológica do que prática. No entanto, é preciso que fique muito claro que apenas fazer os registros não será suficiente. Você deve mudar sua atitude, ter disciplina e muita perseverança.

Durante os registros de suas despesas, logo nas primeiras semanas, já será possível ter uma visão ampla de seus gastos. No fechamento dos trinta dias, você poderá refletir sobre eles e, assim, definir que atitudes tomar. Ao finalizar as anotações, os dados estarão prontos para ser analisados cuidadosamente. Eles serão de vital importância para definir as medidas que precisarão ser adotadas, a fim de que você ponha os números nos trilhos. Nesse momento, a visão que terá da sua situação já será bem mais abrangente. Vejamos como poderiam ficar seus cálculos por esse novo ponto de vista, considerando os gastos mensais mais detalhados:

	Descrição das despesas	Valor (R$)
RESIDÊNCIA	Água	60,00
	Energia elétrica	70,00
	Telefone	95,00
	Mercado	330,00
	Manutenção da residência	40,00
PESSOAL	Transporte	170,00
	Medicamento	35,00
	Convênio médico	90,00
INSTRUÇÃO	Faculdade	450,00
	Cursos de idiomas	110,00
	Material escolar, xerox etc.	15,00
OUTRAS	Lanches	55,00
	Roupas e calçados	150,00
	Cosméticos, cabeleireiro etc.	80,00
	Diversão e lazer	120,00
	Gorjetas	20,00
	Almoço, lanche, café etc.	40,00
	(-) Total de despesas	1.930,00
	Total de receitas	1.800,00
	Padrão de vida (-) despesas	**- 130,00**

Perceba como, no nosso exemplo, ao computar os gastos menores, mudou completamente a situação retratada na tabela da página 36, em que os gastos não foram registrados diariamente, tampouco totalizados por categoria de despesas. Guardadas as devidas proporções, esse fenômeno certamente acontecerá quando você puser todos os seus dados no papel. O diagnóstico é importante justamente pelo fato de revelar o que ficava escondido, deixando à mostra as vias pelas quais seu dinheiro hoje transita.

Quanto mais empenho tiver para registrar todos os gastos, por menores que sejam, mais clara ficará sua visão quanto às suas despesas. E, naturalmente, mais fácil será fazer os ajustes necessários para melhorar sua saúde financeira.

Tenha em mente que o equilíbrio financeiro depende, em primeiro lugar, da redução dos pequenos gastos. Enquanto estiver alimentando seu Apontamento de Despesas, você poderá fazer, paralelamente, uma série de reflexões sobre seu estilo de vida e padrão de consumo. Essas considerações contribuirão muito para abrir as portas da sua consciência emocional. Isso porque dinheiro não é apenas uma questão de números.

A maneira pela qual você lida com o dinheiro diz muito sobre suas emoções. Assim como você precisa ter uma visão microscópica em relação aos números, é imprescindível desenvolver uma visão precisa das motivações e dos impulsos que estão por trás do seu padrão de consumo.

Anote diariamente seus gastos: os pequenos e os grandes. Mantenha a perseverança. Não perca o foco. Mire em seu objetivo inicial: conhecer em detalhes sua vida financeira. Ao mesmo tempo, reflita sobre o modo como você a tem conduzido. Seja sincero, tenha coragem de assumir, sem subterfúgios, sua identidade financeira emocional.

Atenção! É importante que o Apontamento de Despesas seja feito por apenas trinta, sessenta ou até, no máximo, noventa dias, dependendo do seu tipo de rendimento, fixo ou variável. Isso porque se trata de um diagnóstico que mostrará a verdadeira situação do seu momento financeiro, como uma espécie de fotografia desse período.

O procedimento deve ser repetido anualmente ou quando houver uma mudança significativa em sua vida financeira. Se fizer o Apontamento de Despesas de forma continuada, terá um processo e não um diagnóstico, o que não é recomendável. Portanto, não se torne escravo da anotação: faça pelo tempo que deve ser feito, e não mais do que isso.

A seguir, veja alguns pontos que podem ajudar a clarear seu entendimento nessa fase.

Descubra qual é seu padrão de vida

A ideia de padrão de vida, em geral, está associada a outro termo: classe social. Mas nem mesmo as estatísticas oficiais do país conseguem estabelecer claramente quais são as características de cada uma das classes sociais no Brasil. Afinal de contas, o que é pertencer à classe baixa, média ou alta? Essa é uma questão complexa, que sempre terá opiniões contrárias.

O importante é que, independentemente de sua classe social, você precisa aprender a viver de acordo com o que ganha. Ou seja, manter um padrão de vida sustentável, que lhe permita estar sempre na posição de poupador, e não na de devedor.

Se você está atolado em dívidas, é muito provável que viva fora de seu padrão de vida. E acredite: isso não acontece apenas com você. Há milhões de pessoas na mesma situação, que, no entanto, preferem viver de aparências. É comum encontrar gente que se intitule "rica", mas que, na realidade, está totalmente "quebrada", endividada.

A maioria dos verdadeiros milionários não é exibicionista. Ao contrário, eles costumam ser discretos e ter hábitos simples, com exceção, é claro, das celebridades que dependem dos holofotes e ostentam um padrão de vida e de consumo fora do comum, para manter a aura de *glamour* em torno de si. Mas esse é um mundo de ilusão. Para ser sustentável financeiramente, é preciso viver dentro da sua realidade, e assim realizar sonhos mais consistentes.

A saúde de suas finanças depende de sua disposição em assumir a própria realidade. Para tanto, você deve perguntar-se frequentemente: "Consigo custear todos os meus compromissos financeiros ou sempre dependo de terceiros (instituições financeiras) para fechar o mês?"; "Minha casa, meu carro, a escola dos meus filhos, meu vestuário e meu lazer são itens que cabem tranquilamente no meu orçamento, ou sempre preciso fazer malabarismos, para acompanhar o consumo das pessoas do meu círculo de convivência?".

Talvez você queira viver um padrão que não corresponda a seus rendimentos. Daí a dificuldade em manter todos esses custos. Esse é o drama da classe média no Brasil, a maioria das pessoas está sempre na "corda bamba", tentando equilibrar os gastos para manter um padrão de vida que não pode custear.

Contudo, volto a dizer: não importa em que classe social você se enquadra, o fundamental é que você e sua família tenham sustentabilidade financeira. Para isso, é necessário que aprendam a viver dentro do padrão de vida que seus rendimentos permitem. Ou seja, a partir do seu ganho mensal líquido, você deve gastar, no máximo, 90% das suas receitas.

Considere a seguinte hipótese: se o seu salário líquido é de 1.800 reais, o ideal é que você faça uma adequação de seus gastos para algo em torno de 1.620 reais. Mais à frente você saberá o destino exato que deverão ter esses 10% aqui deduzidos, mas posso adiantar que o primeiro passo para estabelecer seu equilíbrio financeiro é reter 10% de seus rendimentos antes mesmo de pagar as contas ou de gastar com outras coisas.

O cálculo dos rendimentos deverá obedecer à seguinte lógica:

Total de receitas líquidas	R$ 1.800,00
(-) Total de retenção (10%)	R$ 180,00
= Saldo para adequação do padrão de vida	**R$ 1.620,00**

O importante é que você aprenda a viver com menos do que, em tese, poderia. Se o seu padrão de vida hoje já é apertado, você certamente deve pensar: "Mas como vou fazer isso? Só se eu deixar de comer". Ou, se o seu padrão for médio, o natural é que você pense: "Mas então terei de abrir mão de meus prazeres. Eles já são tão poucos, e eu ainda preciso abrir mão deles?".

Minha resposta é: isso depende do resultado do seu diagnóstico financeiro. Por isso é tão importante cumprir à risca a etapa anterior: registrar diariamente todos os seus gastos no Apontamento de Despesas, descobrindo para onde está indo cada centavo do seu dinheiro.

O que estou propondo agora é que, mesmo a caminho dessa etapa, você já vá refletindo sobre seus hábitos. Assim, quando chegar a hora, seja qual for o resultado, você estará consciente de que precisará adequar seu padrão de vida e hábitos de consumo a uma nova realidade: a de quem deseja deixar para trás um passado como devedor, para conquistar um futuro como poupador.

É um erro comum as pessoas se fixarem nos números e, a partir deles, estabelecer um padrão de vida que não leva em conta outros fatores importantíssimos que precisam ser levados em consideração.

Veja o caso de duas pessoas que trabalham na mesma empresa e ganham o mesmo salário: 3 mil reais. Uma delas é solteira, sem filhos e mora com os pais. Resolve então comprar um carro zero-quilômetro, último modelo, comprometendo um terço do salário com a prestação.

A outra pessoa, com o mesmo salário, fixa-se no número que vem expresso no holerite e passa a achar que deveria ter o mesmo padrão de vida do colega, incluindo o mesmo tipo de carro. Afinal de contas, ambos ganham a mesma coisa. Só que essa segunda pessoa é casada, tem um filho e paga aluguel. Se ela usar a mesma estratégia para adquirir o automóvel, estará endividada em pouco tempo.

Observe que, em nenhum momento, eu disse que essa pessoa não poderia ter um carro igual ao do colega. Você verá que ela pode, sim. Contudo, é a estratégia que precisa ser mudada.

Quero deixar claro, com esse exemplo, que não é apenas o quanto você ganha que irá definir o padrão de vida que pode ter, mas quanto seu padrão de consumo afeta de maneira positiva ou negativa sua sustentabilidade financeira. Por isso é importante que você fique atento ao que compra, quando compra, como compra e por que compra.

Estar em um padrão de vida um pouco inferior ao que sua renda permite é o segredo para poder reter parte de seu dinheiro, criando as reservas necessárias para um futuro próspero. Imagine-se vivendo sem a vulnerabilidade financeira na qual se encontra hoje, com a segurança de que você está protegido caso algo inesperado ocorra.

Não se trata apenas de uma questão de dinheiro. O que você terá em uma situação financeira de equilíbrio é paz de espírito, possibilidade de focar suas energias em algo muito mais prazeroso que o dinheiro. Se a sua saúde financeira estiver equilibrada, suas ideias, seu rendimento profissional e intelectual, bem como sua capacidade de pensar em novos negócios serão renovados.

Dinheiro gera dinheiro. Faça com que ele trabalhe para você! Você já parou para pensar por que as pessoas independentes financeiramente parecem que estão sempre envolvidas em situações que lhes trazem mais dinheiro?

É porque elas estão com a saúde financeira plena, aproveitando oportunidades sem medo, com a segurança de estar amparadas. Por isso elas se arriscam, apostam e, muitas vezes, ganham.

Lembre-se, não importa o quanto você ganha, mas quanto é capaz de acumular, gerar riqueza a partir do que ganha. Mas, para isso, você precisa conhecer profundamente a sua situação financeira e observar de perto como são as suas ações e reações na hora de lidar com o dinheiro.

Olhando sem disfarces as atitudes e motivações que provocaram o seu desequilíbrio, será possível reverter mais rapidamente o estado em que você se encontra. Ter dinheiro também é uma questão de autoconhecimento. Quem não sabe quem é, o que quer e onde quer chegar, dificilmente consegue atingir uma situação de sucesso financeiro.

O importante é você ter consciência de que se esconder atrás de desculpas não trará a transformação necessária que busca na sua vida. Ao contrário, fará apenas com que você fique preso a uma situação que não está lhe fazendo bem. É uma questão de escolha.

Vamos observar isso mais de perto.

Conheça seu "eu" financeiro

O processo de conscientização, ou o que eu chamo de descoberta do seu "eu" financeiro, é fundamental nessa nova etapa de sua vida e precisa ocorrer em vários níveis. O primeiro passo é anotar tudo e chegar aos números: quanto você gasta em cada um dos itens do Apontamento de Despesas e qual o impacto que cada atitude de compra tem em seu orçamento mensal; em outras palavras, saber quais são os gastos que desequilibram sua balança.

No entanto, somente os números não bastam. Você também precisa averiguar os padrões de comportamento que estão por trás dos números – e o Apontamento de Despesas lhe permitirá saber, por exemplo, com o que você gasta e em quais momentos, ou em que dias da semana ou do mês você gasta mais ou menos.

Vivemos em uma sociedade totalmente consumista, em que a maioria dos hábitos de consumo se baseia em padrões sociais. A todo momento, somos bombardeados – crianças, jovens, adultos e até mesmo "jovens há mais tempo" – com mensagens de "Compre! Compre! Compre!".

Comprar faz parte. Boa parte das mercadorias à nossa disposição são fundamentais para nossa saúde, bem-estar e qualidade de vida. Sugiro, porém, que você faça uma análise do seu comportamento de consumo e mude, desde já, os hábitos que não fazem bem para a saúde de suas finanças.

Ao registrar os gastos diariamente, é provável que você perceba uma série de compras absolutamente dispensáveis, que, no entanto, estão lá, inchando seu orçamento e consumindo seus rendimentos. Esse é um mal que você poderá atacar desde o primeiro momento em que decidir lidar melhor com seu dinheiro.

Observe tudo o que consome e em quais situações essas compras são feitas. Você provavelmente perceberá logo que, em diversos momentos, suas compras são motivadas pela busca de satisfação emocional, não da real necessidade de determinado produto. A partir de agora, pare e reflita antes de comprar.

Se você tem pouco tempo para seus filhos e sente-se culpado por isso, não se iluda. Entrar no cheque especial para comprar um brinquedo de última geração, a fim de compensar sua ausência, não é a solução. Fazer um esforço para chegar em casa um pouco mais cedo, nem que seja um dia por semana, com certeza irá melhorar essa situação e, ainda, preservar sua conta-corrente. Caso seu parceiro não lhe dê a atenção que você merece, o melhor a fazer é sentar e tentar resolver essa situação juntos. Descontar a raiva que sente dele estourando todos os limites do cartão de crédito só fará com que você se sinta pior no final do mês. Se os colegas de trabalho menosprezam sua competência, é possível que você precise rever a postura profissional que desenvolveu. De nada adiantará ficar com a corda no pescoço para manter o financiamento de um automóvel, esperando que, ao invejarem o carro que você tem, eles passem a admirá-lo ou respeitá-lo.

Em resumo: não tente comprar coisas que seu dinheiro não pode comprar. Tal atitude apenas lhe trará mais sensação de culpa, raiva, insegurança e, o que é pior, desequilíbrio financeiro.

Por isso, toda vez que for comprar algo, procure observar o sentimento e a motivação por trás desse ato. Responda com sinceridade se você precisa daquele bem, naquele momento, ou se essa compra poderia perfeitamente ser adiada. Acredite: se adiar a compra por um ou dois dias, perceberá, na maioria das vezes, que não precisa, de fato, daquele item.

Muitas vezes, grande parte das compras se dá por impulso. Seja como forma de extravasar sentimentos, seja pela sensação de poder que o ato de comprar proporciona. É preciso que você deixe de se enganar e esteja determinado a mudar sua vida financeira. Mesmo que a sua saúde financeira seja a melhor possível, eu o aconselho a pensar duas vezes em toda e qualquer situação de compra. Caso sinta-se emocionalmente vulnerável, para evitar as compras por impulso, minha sugestão é:

- **Resista ao impulso: deixe para o dia seguinte, pois, se esse item for realmente necessário, você retornará depois para comprá-lo.**
- **Não compre nada que você não tenha certeza de que precisa e que realmente irá agregar algo à sua vida.**
- **Se for possível, experimente o bem desejado para ter certeza de que ele lhe agrada.**

- **Não leve dinheiro ou cartão de crédito ao sair de casa se não tem intenção de efetuar uma compra.**
- **Se não possuir dinheiro suficiente para comprar o que deseja, evite comprar a prazo.**
- **Verifique se esse gasto cabe em seu orçamento.**

Isso vale desde uma bijuteria até um automóvel. Não importa o preço. Importa o porquê do consumo. Se for por impulso, esqueça. Fazer uma reflexão sobre como essa moeda de troca chamada dinheiro interfere diretamente em nossos sentimentos é fazer uma terapia financeira que demanda, necessariamente, conhecimento e domínio sobre o próprio "eu" financeiro. Ter domínio é mais que saber quanto você ganha e quanto gasta. É preciso sofisticar esse entendimento: saber quando gasta, com o que gasta e por que gasta. Com isso, você será capaz de despertar a capacidade adormecida que tem para gerir com sucesso seus recursos e viver com prosperidade.

Neste pilar da **Metodologia DSOP,** você aprendeu a diagnosticar para onde vai seu dinheiro e a identificar gastos em excesso e supérfluos. A partir da aplicação desse primeiro pilar da metodologia, você tem condições de enxergar melhor o que antes estava nebuloso em relação aos seus gastos.

O diagnóstico financeiro é o primeiro passo para, definitivamente, assumir o controle de sua vida financeira, e o segredo é levar isso a sério. Se o diagnóstico não for preciso, o resultado pode levá-lo para o caminho errado, como na medicina, em que um diagnóstico errado pode levar ao óbito.

Feitas todas essas reflexões, vamos partir para o segundo passo da **Metodologia DSOP**.

S

2. Sonhar

SONHE COM TUDO O QUE O DINHEIRO PODE COMPRAR

Sonhe com tudo o que o dinheiro pode comprar

Alguém já disse que o homem é do tamanho dos seus sonhos. Na vida financeira não é diferente. O sonho é o combustível da transformação que você buscou neste livro. Você pode estranhar o fato de encontrar, no meio de uma metodologia para alcançar o equilíbrio financeiro, uma parte especialmente dedicada ao sonho. Acontece que, sem sonho, sem desejo, o ser humano simplesmente para de crescer, progredir e prosperar.

É muito comum encontrar pessoas que desistiram de seus sonhos porque estão financeiramente desequilibradas. O raciocínio costuma ser: "Se não consigo nem pagar as contas básicas, como é que posso me dar ao luxo de sonhar com coisa melhor?". Isso é um grande equívoco.

Seja qual for sua situação financeira, é preciso que você sempre renove seus sonhos, seus objetivos. Os sonhos são o combustível para que você possa seguir na caminhada, a motivação para superar os obstáculos.

Pode ser que agora seu maior "sonho" seja conquistar sua sustentabilidade financeira, mas isso não basta. É necessário traçar outros objetivos e ter outros anseios. Até porque, em breve, você conquistará a saúde de suas finanças e isso significa que precisará rapidamente de novos planos para impulsioná-lo a seguir em frente.

Em minha trajetória de vida, tenho me surpreendido com o fato de as pessoas mal saberem quanto ganham, quanto gastam ou como gastam, e perceber que a maioria perdeu a capacidade de discriminar com nitidez quais são seus verdadeiros sonhos. Nas universidades por onde tenho palestrado, quando pergunto aos jovens: "Quais são seus sonhos?", o mais comum é ouvir a resposta: "Meu sonho é estudar, trabalhar e ter um bom emprego". Então repito que estudar, trabalhar e ter um bom emprego não é sonho, mas sim o meio para conquistar algo mais. A maioria desses jovens não consegue ver além disso. Nossa juventude ainda está presa às necessidades básicas e, infelizmente, confunde o meio com o fim.

De fato, vivemos em um país onde a maioria ainda utiliza todo o seu potencial humano apenas para suprir suas necessidades de sobrevivência: ter um emprego e um salário. E, em geral, só quando detêm os meios é que as pessoas passam a sonhar com algo mais concreto. Pela lógica comum, o raciocínio estaria correto. Mas o dinheiro tem uma lógica própria.

Para atraí-lo para sua vida, é necessário que você seja capaz de sonhar primeiro, para conquistar depois. É fundamental, portanto, que visualize sua vida plenamente próspera. E, obviamente, faça a parte prática necessária para transformar seus sonhos em realidade.

É por isso que, na **Metodologia DSOP**, o sonho vem antes do recurso, antes do dinheiro. Você precisa sonhar mesmo que não tenha ainda condições de realizar o sonho. Alguém pode querer argumentar que isso é vender ilusão, mas não é. Isso é plantar a esperança, é fazer com que você, leitor, enxergue que, mesmo em uma situação momentânea de desequilíbrio, você não está condenado a viver uma vida sem sonhos. Ao contrário, você pode e deve continuar a alimentá-los.

Eu costumo dizer que ter mais dinheiro só faz sentido se for para realizar sonhos, porque guardar dinheiro por guardar não leva a lugar nenhum. E isso não significa apenas sonhos materiais, no sentido restrito de sonhos de consumo, como se convencionou chamar. Pois o seu sonho pode ser algo mais elevado do que consumir em benefício próprio. Você pode sonhar em se dedicar a uma causa humanitária, a ter um lar beneficente, a desenvolver um produto que vai ajudar outras pessoas. Enfim, há uma lista infinita de sonhos que não são de consumo e que, ainda assim, precisam de dinheiro para serem realizados. Daí a importância de ter uma vida financeira equilibrada e poder, como veremos adiante, poupar para realizar seus sonhos.

Escreva seus sonhos

Pesquisas recentes demonstram que eletrônicos, carro do ano, casa própria, casa na praia e viagens, mais ou menos nessa ordem, estão entre os principais sonhos de consumo dos brasileiros. Todavia, há um processo perverso que opera por trás disso.

Como grande parcela da população imagina que dificilmente poderá realizar sonhos mais ambiciosos, como ter uma casa na praia ou fazer uma viagem pelo mundo, a maioria gasta o que tem e o que não tem para obter pequenos objetos de desejo e, assim, ter a sensação de estar minimamente inserida na sociedade de consumo. Isso ajuda a explicar o fato de um jovem aprendiz comprometer todo o salário de um mês na compra de um tênis de marca ou de uma diarista ter um celular de última geração, pago em 12 ou mais prestações fixas, com altos juros embutidos.

Meu objetivo, ao falar sobre os sonhos, é ampliar esse horizonte, a fim de incentivá-lo a voltar a sonhar ou a sonhar mais alto. E mais do que isso: ajudá-lo a criar as condições necessárias para transformar seus sonhos em realidade. Mas, para sonhar, é preciso desenvolver a capacidade de se projetar no futuro.

Sugiro que você esqueça por alguns momentos sua situação atual e faça essa viagem. Imagine o que deseja em sua vida para daqui a um ano, cinco, dez, vinte, trinta anos. Tente visualizar tudo o que pretende conquistar, como e onde você quer estar. Dê uma pausa na leitura e concentre-se por alguns minutos. Feche os olhos, relaxe. Se possível, fique em contato com a natureza ou coloque uma música suave para fazer sua reflexão; esse é um momento só seu.

Talvez você nunca tenha parado para pensar de verdade em sua vida. Pergunte-se: "O que eu consegui conquistar até hoje em minha vida está de acordo com aquilo que eu sonhava?". Se sua resposta for positiva, parabéns por suas conquistas; mas se não conquistou nada até o momento, está na hora de mudar essa história. Para isso, faça algumas reflexões sobre seu futuro:

- **Em que situação financeira viverão meus filhos e meus netos no que depender de mim?**
- **Como estará a minha vida profissional até lá?**
- **Terei conquistado, em termos materiais, tudo o que almejo?**
- **Essas conquistas serão suficientes para que eu tenha uma vida tranquila no futuro?**
- **Entre essas conquistas está o sonho de uma aposentadoria sustentável?**
- **Contarei com reservas para possíveis imprevistos?**

Independentemente das respostas que tais reflexões suscitarem no seu espírito, você certamente estará pensando nos seus sonhos, naquilo que já realizou e naquilo que ainda deseja realizar. Então, não perca a oportunidade de materializar esses sentimentos e pensamentos.

Pegue caneta e papel e escreva seus sonhos. Liste tudo aquilo que você ainda deseja conquistar na vida. Seus sonhos materiais e os não materiais também.

Você sentirá na pele o quanto faz bem olhar para dentro de si mesmo e achar respostas, porque os seus sonhos, sejam eles quais forem, não estão mortos, por mais que sua vida financeira esteja caótica.

Provavelmente seus sonhos estão apenas adormecidos, soterrados pelas preocupações, escondidos sob a autoestima abalada, quem sabe, por momentos de dificuldade.

Estabeleça prazos concretos

Para que esses sonhos fiquem ainda mais nítidos em sua mente, para que você os traga à tona definitivamente, estabeleça também os prazos em que você gostaria de vê-los realizados. Não pense no momento atual, na situação financeira tal como está agora; pense apenas no tempo ideal.

A seguir, analise sua lista e os prazos que você estabeleceu, separando os sonhos em curto, médio e longo prazos. Considere como curto prazo os sonhos que você deseja realizar em até um ano; médio prazo, até dez anos; longo prazo, acima de dez anos.

Com essa atitude, você assumirá consigo o compromisso de realizar seu sonho em prazos concretos e palpáveis, em vez de ficar sonhando sem saber se, e quando, vai conseguir realizá-lo.

Depois desse encontro com os seus sonhos individuais, se houver oportunidade e abertura, sente-se com sua família e repita o exercício em conjunto com ela.

Para isso, tenha o cuidado de escolher um momento de calma e harmonia e comece, como que de brincadeira, a incentivá-los a pensar nos sonhos que desejam realizar. Mesmo as crianças podem e devem ser envolvidas nessa dinâmica.

Listem os sonhos, projetem os prazos de uma forma consciente e realista. Depois separem os sonhos em individuais e coletivos. Fazer uma viagem de férias ou uma reforma na casa, por exemplo, podem ser classificados como sonhos coletivos. Comprar uma TV nova para o quarto ou fazer um curso de inglês podem ser classificados como sonhos individuais de algum membro da família.

Com certeza vocês todos se surpreenderão ao conhecer os sonhos uns dos outros, e é muito provável que se sintam mais unidos depois dessa conversa. Porque sonhar em conjunto aproxima as pessoas. Torne esse momento prazeroso, sem cobranças.

Evite, por enquanto, falar em cortes de despesas. Concentre suas atenções no lado bom do sonhar e deixe para pensar depois nos mecanismos que serão adotados para tornar o sonho real.

Pode ser que você pense: "Mas de que adianta escrever meus sonhos se não tenho dinheiro suficiente para realizá-los?". Se esse pensamento lhe ocorrer, leia o que tenho a dizer com atenção. Você pode conquistar todos os sonhos que hoje considera inalcançáveis!

Basta ter atitude, disciplina e perseverança em sua vida financeira daqui para a frente. É tudo uma questão de querer de fato e fazer o que precisa ser feito para chegar lá. Lembre: é preciso sonhar primeiro e partir em busca dos recursos, para realizar depois.

Calcule quanto custam seus sonhos

Uma das razões que muitas vezes impedem as pessoas de realizar seus sonhos é não saber exatamente quanto eles custam. Você passa a vida inteira sonhando com uma viagem internacional. Julga apenas que é muito, muito caro. Fica com aquele sonho na cabeça, enquanto os anos passam, sem que em nenhum momento você tenha se dado ao trabalho de chegar mais perto do seu sonho e descobrir exatamente quanto ele custa. O tempo passa, você envelhece e aquele sonho tantas vezes acalentado vai se transformando em uma grande frustração.

Um dia, talvez, você encontre um velho conhecido que tenha tido um sonho como o seu na juventude, mas, diferentemente de você, descobre que ele conseguiu realizá-lo. O mais provável é que você se sinta com raiva do mundo e da vida, por achar que só você não teve oportunidade de se transformar em alguém realizado.

Se você não quer ter um destino assim, tem de valorizar seus sonhos, escrevê-los, definir prazos para concretizá-los e... saber exatamente quanto eles custam! Simples assim. Comece preenchendo o quadro a seguir:

Registro dos Sonhos

CURTO PRAZO (até um ano)

Meu sonho é:

Meu sonho custa:

Quanto vou guardar:

Em quanto tempo realizarei:

MÉDIO PRAZO (de um a dez anos)

Meu sonho é:

Meu sonho custa:

Quanto vou guardar:

Em quanto tempo realizarei:

LONGO PRAZO (acima de dez anos)

Meu sonho é:

Meu sonho custa:

Quanto vou guardar:

Em quanto tempo realizarei:

Digamos que seu sonho de curto prazo é adquirir uma TV de última geração. Imaginemos que você fez uma primeira pesquisa e verificou que a televisão sonhada custa 2 mil reais. Vamos supor que você possa guardar 200 reais mensais para adquiri-la. O seu sonho será realizado, à vista, em 10 meses.

Pensemos em outro sonho, agora de médio prazo: fazer uma viagem de férias daqui a dois anos. Suponha que, entre passagens, hospedagem e alimentação, sua viagem custaria aproximadamente 6 mil reais. Digamos que você possa guardar 200 reais mensais. Nesse caso, a viagem será adquirida, à vista, dentro de 23 meses.

Imaginemos agora que seu sonho de longo prazo seja comprar a casa própria. Vamos supor que o imóvel desejado custe 150 mil reais, e que você possa guardar 500 reais mensais para adquiri-lo. A sua casa própria estará ao alcance das suas mãos, à vista, em quinze anos. Veja os exemplos a seguir:

Como realizar meus sonhos

Quanto tempo	Meu sonho é	Meu sonho custa	Número de parcelas	Guardar por mês (R$)**	Correção com juros (%)*	Total acumulado (R$)
Curto	TV LCD	2.000,00	10	200,00	0,65	2.059,53
Médio	Viagem de férias	6.000,00	23	250,00	0,65	6.180,45
Longo	Casa própria	150.000,00	180	500,00	0,65	169.985,92

* A tabela mostra o valor poupado mensalmente corrigido com juros médios de investimento financeiro de 0,65% ao mês.

**É importante observar que para sonhos de médio e longo prazos é necessário acrescentar um percentual anualmente sobre o valor a ser guardado, um acréscimo de inflação visto que, no caso de uma casa, por exemplo, terá aumento em seu preço de venda. Por isso o valor a ser guardado terá que receber anualmente um acréscimo para que se mantenha o poder de compra.

Registre abaixo seus sonhos, quanto custam, quanto guardará por mês e em quanto tempo irá realizá-los.

Como realizar meus sonhos

Quanto tempo	Meu sonho é	Meu sonho custa	Número de parcelas	Guardar por mês (R$)**	Correção com juros (%)*	Total acumulado (R$)
Curto						
Médio						
Longo						

Observe que, nos três exemplos, o valor mensal é pequeno em relação ao todo, o que torna o sonho possível de ser conquistado, mês a mês. Talvez você esteja pensando: “Seria simples se eu tivesse uma sobra de dinheiro em meu orçamento, mas eu não tenho isso”. Aqui chegamos a um ponto crucial da questão. Seus sonhos não serão realizados se tudo o que você puder destinar a eles forem as sobras do seu dinheiro.

Seu sonho tem de ser a prioridade na sua vida e, como tal, merece o maior respeito e a maior dedicação possível da sua parte. Sua atitude para realizá-lo deve ser outra: “Como eu posso me organizar e adequar meu padrão de vida e de consumo para garantir a realização dos meus sonhos?”. Essa deve ser a sua linha de raciocínio.

Agora que os seus sonhos de curto, médio e longo prazos estão claros na sua cabeça, é hora de começar o movimento necessário para torná-los realidade. Isto é, fazer com que eles caibam no seu orçamento e medir o tamanho do esforço que você precisará fazer para realizá-los.

Ainda assim, você pode argumentar que, mesmo que fizesse milagre, em nenhum momento poderia separar dinheiro de seus rendimentos para essa finalidade. Isso porque, digamos, tal como em um dos exemplos dados no início do livro, seu salário bruto é de mil reais (líquido 850 reais) e, descontando os 10% que sugeri, esse valor cairia para 765 reais, o que evidentemente inviabilizaria a realização dos sonhos.

No caso da casa própria de 150 mil reais, é fato que ganhando um valor de 1.000 reais bruto, guardar 500 reais por mês é inviável. Mesmo nestes casos, é preciso não desistir dos sonhos, a alternativa será pelo alongamento dos prazos desta conquista.

Observo que se faz necessário corrigir estes valores mensais guardados anualmente, para que possa garantir o poder de compra da casa. Não importa o tamanho e o valor do seus sonhos. Com atitude, disciplina e perseverança, você pode realizá-lo. Tudo dependerá diretamente do grau de esforço que você estiver disposto a fazer.

0

3. Orçar

INCORPORE A PRÁTICA DO ORÇAMENTO

Incorpore a prática do orçamento

Quando se fala em orçamento financeiro, a maioria das pessoas pensa da seguinte forma: "Ter um orçamento sob controle significa registrar o que se ganha e subtrair o que se gasta. Caso sobre dinheiro, estou no lucro. Se faltar, estou no prejuízo e vou ter de compensar o *deficit* no próximo mês". É claro que é importante registrar o dinheiro que entra e o dinheiro que sai! Mas isso não basta! Se você quer fazer boas escolhas financeiras, precisa aprender a priorizar os sonhos. Ou seja, direcionar o seu dinheiro para a sua realização pessoal, acima de tudo.

O Orçamento Financeiro DSOP traz uma grande novidade em relação a esse comportamento dominante: a priorização dos sonhos, levando à alteração da ordem dos fatores. Isto é, registrar o ganho, subtrair o valor necessário para a realização dos sonhos e, a partir do saldo, adequar as despesas. Agindo dessa forma, você certamente terá mais motivação para cortar os gastos necessários e adequar seu padrão de vida. Por uma razão muito simples: seus sonhos, aqueles desejos que realmente importam para você e sua família, estarão preservados e protegidos.

Veja no modelo a seguir um orçamento financeiro comum comparado ao Orçamento Financeiro DSOP:

Imagine se você tivesse aprendido e praticado isso desde criança, desde o seu primeiro salário! Calcule quantos sonhos que você foi deixando pelo caminho e poderiam ter sido realizados! Imaginou? Então, deixe o passado no passado e comece a construir agora o seu futuro, um futuro pleno de realizações.

	DESCRIÇÃO	ORÇAMENTO COMUM ANTES (R$)	ORÇAMENTO DSOP (R$) DEPOIS*
+	Receitas (salário, pró-labore, outros)	1.800,00	1.800,00
(-)	Sonho (Curto Prazo) – câmera fotográfica	0,00	**30,00**
(-)	Sonho (Médio Prazo) – viagem	0,00	**100,00**
(-)	Sonho (Longo Prazo) – 10%	0,00	**180,00**
=	Saldo para adequar o padrão de vida	1.800,00	1.490,00
RESIDÊNCIA	Água	60,00	50,00
	Energia elétrica	70,00	60,00
	Telefone	95,00	80,00
	Mercado	330,00	300,00
	Manutenção da residência	40,00	40,00
PESSOAL	Transporte	170,00	140,00
	Medicamento	35,00	35,00
	Convênio médico	90,00	90,00
INSTRUÇÃO	Faculdade	450,00	300,00
	Cursos de idiomas	110,00	80,00
	Material escolar, xerox etc.	15,00	15,00
OUTRAS	Lanches	55,00	30,00
	Roupas e calçados	150,00	50,00
	Cosméticos, cabeleireiro etc.	80,00	50,00
	Diversão e lazer	120,00	50,00
	Gorjetas	20,00	10,00
	Almoço, lanche, café etc.	40,00	20,00
	(-) Total de despesas	1.930,00	1.400,00
	Saldo do mês	**- 130,00**	**90,00**

* Após Apontamento de Despesas

É importante observar que, ao priorizar os seus sonhos, o ideal é projetar pelo menos um de curto, um de médio e um de longo prazo. A tendência natural é que você, movido pelo imediatismo que o comandou durante toda a vida, queira focar na realização do sonho de curto prazo e não se importe tanto com os de médio e longo prazo. Acontece que, se você guardar dinheiro apenas para um sonho de curto prazo, é muito provável que acabe buscando um atalho para a realização dos sonhos de médio e longo prazo, na maioria das vezes lançando mão de financiamentos e empréstimos, isto é, utilizando um dinheiro que você não tem.

É uma mudança significativa no modo de lidar com o orçamento? Sem dúvida. Mas é necessário mudar seus hábitos e costumes para criar uma nova cultura em sua vida financeira. Guardar dinheiro para os três sonhos, simultaneamente, é imprescindível para garantir a realização de todos eles, sem precisar utilizar linhas de créditos e ter que pagar mais caro por isso.

Faça uma blitz no seu consumo

Você pode estar pensando: "Mas se eu deduzir do meu ganho três valores para a realização dos meus sonhos, como vou fazer para pagar as despesas?". Para que o seu sonho caiba no seu orçamento, você deverá adequar seu padrão de vida e de consumo. Como? Começando pelo diagnóstico e fazendo a análise e os ajustes necessários em cada tipo de gasto identificado no Apontamento de Despesas. Acredite: o dinheiro de que você precisa para readquirir o controle financeiro e realizar seus sonhos não depende de aumento de salário, promoção ou de tirar a sorte grande e ganhar na loteria. Basta apenas fazer uma blitz em seu padrão de consumo.

Pesquisas mostram que pessoas que ficam milionárias de uma hora para outra, em sua maioria, voltam a ser pobres em pouco tempo. Por quê? Eis a razão: não sabem gerir o dinheiro. Vale frisar o seguinte: não importa quanto você tem, mas como administra o que tem. Não importa o valor de seu salário, mas a forma de lidar com ele. Acredite: mais vale um controle financeiro que trinta anos de trabalho.

Seguindo as recomendações feitas até aqui, você certamente terá, após os primeiros trinta, sessenta e noventa dias, uma situação financeira mais controlada. Ao anotar diariamente os gastos por tipo de despesa, você perceberá de forma cada vez mais nítida quais eram as frestas pelas quais seu dinheiro estava escapando. E, ao saber disso concretamente, é natural que você comece quase automaticamente a mudar seus hábitos.

Adeque seu padrão de vida

Digamos que em sua nova estrutura financeira, deduzindo os 10% cujo destino você ainda não sabe exatamente qual será, menos o valor necessário para a realização dos seus sonhos, menos os compromissos já assumidos de prestações como casa ou veículo, esse deverá ser o saldo para a adequação de seu novo padrão de vida. Isso mesmo! A partir deste momento, você precisa estar conscientizado e firmar o compromisso, consigo mesmo, de viver com esses recursos, não esquecendo que sua família deve estar envolvida com os mesmos ideais. Como? Reduzindo de 10%, 20% à 50%, se necessário for, em tudo, absolutamente tudo o que for consumir.

O mais provável é que você diga: "Impossível, já gasto o mínimo do mínimo". E eu respondo que você está enganado. A mudança aqui proposta começa por aprender a comprar melhor, a preços mais acessíveis, em condições que caibam no orçamento. Uma estratégia simples e eficaz é rever uma a uma todas as despesas, consultar fornecedores, renegociar valores, trocar de fornecedor se for o caso, optar por serviços e produtos similares que lhe permitam alcançar o percentual de redução de custos almejado.

Garanto que, ao tomar essas atitudes, você se surpreenderá com os resultados e se perguntará por que não fez isso antes. É tudo uma questão de tomada de atitude. Basta ter coragem e sinceridade de olhar para os seus verdadeiros números (Apontamento de Despesas) e se perguntar, valor a valor, se poderia ter gastado menos, e como teria conseguido isso. Garanto-lhe que, na maioria das vezes, a resposta será "sim".

Faça a si mesmo algumas perguntas:

- **Para onde vai a maior parte dos meus rendimentos?**
- **Quais são minhas principais despesas?**
- **Todas essas despesas são necessárias?**
- **Em que eu poderia reduzir meus gastos?**
- **Quais gastos eu poderia simplesmente eliminar?**

Reflita seriamente sobre essas questões. Com isso, você estará se preparando para o próximo passo.

Lembre-se de que, às vezes, é necessário cortar calorias para ter uma saúde física equilibrada. Da mesma forma, às vezes é preciso cortar custos para equilibrar a saúde financeira. Para algumas pessoas, cortar os doces é suficiente para entrar em forma. Já outras precisam evitar também as massas e a gordura. Do mesmo modo, para alguns bastará fazer pequenos ajustes. Outros, no entanto, terão de realizar mudanças mais radicais. A operação vai requerer maior ou menor esforço, e tudo depende de seu condicionamento financeiro atual.

Seja fiel a seu sonho não ultrapassando seu orçamento

Para ter o controle do dinheiro que entra e do dinheiro que sai, é fundamental que você seja capaz de não ultrapassar seus limites financeiros. O problema é que a maioria das pessoas enxerga o orçamento como uma camisa de força. Elas imaginam que terão de viver de maneira sacrificada por longos períodos ou por toda a vida, e é justamente o contrário. Quanto maior for sua capacidade de respeitar o dinheiro, maior será sua liberdade.

Outro diferencial da **Metodologia DSOP**: quando o sonho vem em primeiro lugar, a motivação para viver dentro do seu padrão de vida torna-se algo natural e prazeroso, pois você se sentirá recompensado pelos esforços que fizer.

Algumas pessoas sentem isso de forma tão intensa que, quando percebem, já atingiram o patamar de adequação do padrão de vida e, ainda assim, continuam batalhando para diminuir os gastos cada vez mais. Isso acontece porque a lógica se inverte. O prazer de gastar é substituído pela satisfação de ver seus sonhos sendo realizados, ou cada vez mais próximos de se realizar.

Muitas vezes, deixamos de fazer esses esforços porque não temos objetivos claros. Mas agora você tem. Você sabe quais são seus sonhos. Calculou o valor e o tempo necessários para realizá-los. Estipulou esses objetivos em sua vida. Agora, todo e qualquer ajuste possível será um tijolinho a mais na construção dos seus planos, do seu futuro.

Mesmo assim, você pode até pensar: "A **Metodologia DSOP** deve servir para os outros, mas não para mim. Minha situação é muito mais complicada". A tendência natural do ser humano é achar que os problemas dele são os maiores do mundo, que as dificuldades dele são as mais significativas e intransponíveis. No entanto, eu disse e repito: qualquer que seja sua situação, é possível reverter o quadro a seu favor e reconquistar o controle financeiro.

Projete seu orçamento anual

Ao chegar a este ponto, você já está armado de todas as principais ferramentas para combater o desequilíbrio financeiro. Essas ferramentas serão sua proteção daqui para a frente. Para se manter na rota, sem desviar de seus objetivos, é importante que você acrescente às recomendações dadas até aqui o orçamento anual.

Um dos erros que contribuem para o desequilíbrio da saúde financeira é a falta de visão a médio e longo prazos. Quanto maior a dificuldade, maior a tendência de viver apenas o presente, ou seja, aquela história de vencer o dia (ou o mês) e deixar para se preocupar com o amanhã quando o amanhã chegar.

Claro que não estou sugerindo que você se preocupe ou que entre em um ciclo de ansiedade. É justamente o contrário. O que você precisa é projetar o orçamento para renovar a cada dia, a cada mês, sua disposição de seguir na batalha. Então, utilizando as ferramentas disponíveis até aqui, projete um Orçamento DSOP contemplando 12 meses.

Agora você já tem todos os dados necessários para fazer isso – sabe quanto ganha, quais são seus bens móveis e imóveis, quanto deve reservar para seus sonhos, quanto terá para suportar seu padrão de vida.

Com todas as informações interiorizadas, com a consciência plena das implicações de cada um desses itens na qualidade de sua vida financeira, você dispõe de toda a motivação necessária para dar a volta por cima e virar o jogo. Você se sentirá novamente no controle da sua vida. A cada nova pequena conquista, você terá seu ânimo renovado para seguir em frente, então compartilhe isso com a família e mostre que o caminho realmente é este, o de se educar financeiramente.

P

4. Poupar

POUPE PRIMEIRO, INVISTA DEPOIS

Poupe primeiro, invista depois

Ao discorrer sobre a **Metodologia DSOP**, sempre que chego ao pilar Poupar, surge a pergunta: “Poupar é igual a investir?”. Se você for procurar nos dicionários, encontrará uma série de sentidos para o verbo poupar. Mas, na **Metodologia DSOP**, poupar é o ato de reter, guardar dinheiro. Investir tem outro sentido no universo das finanças, o de direcionar o dinheiro poupado (não gasto, retido) a algum tipo de investimento (caderneta de poupança, CDB, fundo de investimento, título do tesouro, previdência privada, ações, entre outros).

Na **Metodologia DSOP**, a escolha do tipo de investimento também está relacionada ao sonho, como veremos adiante, porque é muito comum as pessoas terem dinheiro guardado sem saber exatamente o destino que darão a ele. Eu sempre digo que acumular por acumular não faz sentido. Guardar dinheiro só faz sentido se for para realizar sonhos. Até porque o dinheiro guardado, sem um objetivo claro, pode “virar pó” a qualquer momento. Basta um anúncio publicitário mais instigante, um produto “revolucionário” ou a pressão de amigos e familiares para que aquele dinheiro (que não tinha destino certo) seja gasto em desejos momentâneos, que nada têm a ver com os seus verdadeiros sonhos. Para não cair nessa armadilha, a melhor estratégia é saber de antemão o que você vai fazer com o dinheiro poupado, e só então pensar em como investir.

Entre os destinos que o dinheiro poupado pode tomar, o principal é o da independência financeira. Lembre-se de que falei de reter os 10% mesmo antes de entrar no conceito do sonho. Se você tiver alguma dúvida sobre esta ser de fato a melhor escolha, basta refazer a pergunta proposta lá no início: “Se, a partir de hoje, eu não tivesse mais o meu ganho mensal, por quanto tempo conseguiria manter meu padrão de vida?".

É óbvio que não desejo que você venha a ter uma perda que o impeça de se sustentar. No entanto, é minha obrigação alertá-lo para essa possibilidade da forma mais enfática possível, e por uma razão muito simples. Nossa cultura é marcada por um predominante descaso com o amanhã. Eu diria que no mínimo 90% da população vive apenas o momento presente, está presa ao imediatismo e não consegue se programar para viver o futuro com qualidade de vida e saúde financeira.

Até pode ser que você tenha hoje uma situação confortável, mas já parou para pensar em quais são as garantias de que terá condições de manter seu padrão de vida atual até o fim da vida? Se sua resposta for: "Sim, consigo manter meu padrão de vida e de minha família por mais dez, vinte ou trinta anos", meus parabéns! Você é certamente membro de um seleto grupo de pessoas que, de alguma forma, foi capaz de se estruturar e conservar a saúde financeira.

Contudo, se sua resposta for: "Não, eu conseguiria no máximo me segurar por uns seis meses", então você realmente precisará rever a forma de reter parte de suas receitas. Ou seja, terá de fortalecer suas defesas contra os imprevistos. Aqui chamarei sua atenção para um quadro alarmante. No Brasil, pesquisa divulgada pelo Instituto Brasileiro de Geografia e Estatística (IBGE) em 2006 mostrou que 46% dos aposentados dependem de parentes para se sustentar, enquanto 28% dependem de caridade, 25% são obrigados a continuar trabalhando para sobreviver e apenas 1% tem independência financeira. Isso não mudou muito de lá para cá, somente se agravou.

Para você, que deseja um futuro diferente, o momento de dar início à criação desse futuro é agora, começando imediatamente a poupar, adotando o hábito de guardar uma parte dos rendimentos antes mesmo de sair pagando ou comprando qualquer coisa que seja. Esse é o destino para os 10% que pedi que você deduzisse de seus ganhos, lá no início de nossa conversa. Esses 10% serão a semente do sonho da sua independência financeira. Por esse motivo, eles precisam ter prioridade em seus cálculos.

É claro que, se você já faz isso, mesmo que de uma forma não sistemática, certamente já está em uma melhor situação. Entretanto, se você, tal como a grande maioria dos brasileiros, não poupou um único centavo do que recebeu ao longo da vida, tem de rever esse comportamento e tentar iniciar uma mudança de atitude agora, porque, se a expectativa de vida continuar aumentando como nas últimas décadas, há uma perspectiva real de que você viva mais de 100 anos. Pense nisso, calcule quantos anos você ainda tem pela frente para lidar com o dinheiro que passará por suas mãos e veja que você ainda tem muito, mas muito tempo mesmo pela frente e, portanto, pode escrever uma nova história a partir de agora.

Faça essa reflexão calculando o seu rendimento aproximado dos últimos anos de trabalho (perceba que é um volume grande, independentemente de seus rendimentos), e depois pergunte-se quanto desse volume você poderia ter guardado ao longo da vida, se deduzisse dele apenas 10%. Garanto que você levará um enorme susto. Sabe por quê? Porque as pessoas estão perdendo por completo a noção do valor do dinheiro.

Isso se dá, principalmente, pelas características do mundo consumista e imediatista em que vivemos. Há muitos produtos à venda e cada vez mais "facilidade" para adquiri-los. Daí a endividar-se até o pescoço, comprando desenfreadamente, sem se preocupar em poupar uma parte que seja do que ganha, é um passo.

Neste momento você pode argumentar: "Realmente não tenho dinheiro guardado, mas possuo um automóvel, uma casa, um terreno". É claro que você está de parabéns por suas conquistas, já que há muitas pessoas que não conseguiram sequer um teto para morar.

Todavia, sinto dizer que veículo e casa própria, por exemplo, não são exatamente bens que rendam dinheiro. Trata-se de bens que nos trazem qualidade de vida, mas para mantê-los é preciso gastar dinheiro.

Você pode e deve tê-los em seus planos, se seu orçamento lhe permitir. Porém, é importante ter consciência de que só o dinheiro guardado, poupado, pode, de fato, ser considerado um investimento de liquidez capaz de conduzi-lo à independência financeira – gerando juros para garantir seu atual padrão de vida hoje e sua sustentabilidade financeira no futuro.

Assim, faço a seguinte pergunta: Quanto de dinheiro você tem guardado, aplicado, reservado, para viver com sustentabilidade e qualidade de vida no futuro?

Saiba quanto você deveria ter poupado até hoje

Veja a seguir a simulação de uma pessoa que tem 30 anos de idade e quer se aposentar aos 60 anos. Seu rendimento mensal atual é de 1.800 reais por mês. Digamos que essa pessoa guardasse 300 reais mensais. Atualizando o valor poupado mensalmente, em 5% ao ano (inflação), e investindo em caderneta de poupança com juros de 0,65% ao mês:

Tabela da Independência Financeira

Idade da aposentadoria	60
Ganho mensal	R$ 1.800,00
Valor inicial depositado mensalmente	R$ 300,00
Acréscimo (anual) no valor depositado (inflação)	5%
Rendimento mensal da aplicação	0,65%
Valor total poupado aos 60 anos	R$ 561.600,00
Rendimento mensal	**R$ 3.650,40**

Observe que, nessa simulação, a pessoa ultrapassaria o valor necessário para conquistar sua independência financeira por volta dos 58 anos, veja, na página 92, na simulação da Tabela de Independência Financeira, no 28ª ano. A conta é simples. Mas para que ela chegasse a essa independência, teria de ter disciplina e perseverança para abrir mão mensalmente do dinheiro.

Repare também que o montante que ela precisaria acumular seria de 561.600 reais, oferecendo a ela rendimentos mensais no valor aproximado de 3.650 reais, que corresponde ao dobro de seu rendimento mensal. Conclusão: Ela conseguiria manter seu padrão de vida no valor de 1.800 reais e ainda poderia continuar se capitalizando com a diferença entre os juros ganhos e o padrão de vida.

Vale lembrar que trata-se de uma simulação. Isto é, uma representação de como uma pessoa poderia atingir a independência financeira. Porém, ressalto que, ao longo da vida, uma pessoa não ganharia 1.800 reais por mês a vida toda. Esse valor pode oscilar para mais como também para menos. Por isso, a **Metodologia DSOP** propõe que se realize reuniões periódicas quando houver algum tipo de mudança nos ganhos da família.

Se a mudança for para mais, é interessante fazer novos cálculos, apurando a possibilidade de criar uma reserva de dinheiro que lhes possibilitarão uma sustentabilidade financeira. Caso, seja para menos, os cálculos ajudarão a pontuar quais são os gastos em excessos e os cortes necessários.

ANO	TOTAL APLICADO	TOTAL APLICADO + RENDIMENTO
1º ano Total	3.600,00	3.731,53
2º ano Total	3.780,00	7.951,33
3º ano Total	3.969,00	12.708,20
4º ano Total	4.167,45	18.055,37
5º ano Total	4.375,82	24.050,84
6º ano Total	4.594,61	30.757,83
7º ano Total	4.824,34	38.245,20
8º ano Total	5.065,56	46.587,96
9º ano Total	5.318,84	55.867,75
10º ano Total	5.584,78	66.173,48
11º ano Total	5.864,02	77.601,86
12º ano Total	6.157,22	90.258,14
13º ano Total	6.465,08	104.256,78
14º ano Total	6.788,34	119.722,28
15º ano Total	7.127,75	136.789,98
16º ano Total	7.484,14	155.607,00
17º ano Total	7.858,35	176.333,26
18º ano Total	8.251,27	199.142,51
19º ano Total	8.663,83	224.223,51
20º ano Total	9.097,02	251.781,33
21º ano Total	9.551,87	282.038,66
22º ano Total	10.029,47	315.237,34
23º ano Total	10.530,94	351.639,91
24º ano Total	11.057,49	391.531,42
25º ano Total	11.610,36	435.221,21
26º ano Total	12.190,88	483.045,05
27º ano Total	12.800,42	535.367,25
28º ano Total	**13.440,44**	**592.583,09**
29º ano Total	14.112,46	655.121,40
30º ano Total	14.818,09	723.447,33
Total geral	**239.179,85**	**723.447,33**

Agora vejamos alguns exemplos de gastos cotidianos que, se fossem cortados, fariam uma grande diferença na conquista do sonho da independência financeira.

O valor do dinheiro

Despesas	Vinte anos (R$)	Trinta anos (R$)
Gorjeta: R$ 1,00 (3 vezes/semana)	7.469,72	18.605,85
Guloseimas: R$ 2,00 (5 vezes/semana)	24.897,14	62.014,73
Ligação de celular: R$ 4,00 (por dia)	69.910,81	174.136,44
Pizza/Balada: R$ 50,00 (por semana)	124.497,20	310.102,26

*Taxa de juros de 0,65% ao mês

Se você se assustou com os números, acalme-se. Isso acontece com a maioria das pessoas. É difícil encontrar alguém que saiba, verdadeiramente, o valor de seu dinheiro. Em vez de se lamentar por ganhar "x" ou "y", procure pensar em quanto poderia viver melhor se tivesse o hábito de poupar dentro da sua faixa de rendimento. Esses exemplos são reais, e os números impressionantes são plenamente alcançáveis. Imagine que o gasto de 50 reais por semana com pizza ou despesas equivalentes, no período de 30 anos, capitalizado a 0,65% ao mês, somaria um montante de 310 mil reais, lembro que esses valores são exemplificativos e não foram computados tributação de imposto de renda sobre esses ganhos. Portanto, a ideia é saber que, quaisquer que sejam seus gastos, é preciso saber que eles representam ao longo de muitos anos um montante relativamente grande, como diz o antigo ditado: "Dinheiro não aceita desaforo".

Imagine a diferença de qualidade de vida que você teria hoje se soubesse que tem 310 mil reais guardados! Faça uma outra comparação com relação à simulação anterior, na qual, para se tornar independente financeiramente, a pessoa precisaria acumular 561.600 reais. Apenas com essas economias semanais, ao longo de 30 anos, logicamente corrigidas ao longo deste tempo, até porque uma pizza não custaria o mesmo valor por todo esse período, não é mesmo? Poderia já ter ultrapassado 50% do valor pretendido. Isso não significa que você precisa ficar trinta anos sem comer pizza! É claro que você pode comer pizza. Mas não seria mais saudável (em todos os sentidos) substituir o hábito semanal pelo consumo quinzenal ou mensal? E somar a esse esforço duas ou três mudanças de hábito parecidas já seria suficiente para garantir parte da sua independência financeira. Pense nisso!

Com esse exemplo, quero chamar sua atenção para um aspecto que tem muita relação com outro dado de nossa cultura, que precisa ser mudado: o desperdício. Toda vez que compramos algo e nos arrependemos, toda vez que jogamos algo fora, porque ninguém comeu ou usou, toda vez que compramos mais caro um produto, que depois encontramos pela metade do preço em outra loja, estamos desperdiçando dinheiro, atirando pela janela o resultado do nosso trabalho.

É comum as pessoas confundirem o hábito de "poupar" com ser mesquinho. Poupar não significa não gastar em hipótese alguma. Poupar é também não desperdiçar, não perder, gastar com moderação e saber comprar, como veremos mais à frente. Acredite, cada desperdício seu no dia a dia representa dezenas, centenas, milhares e milhões de reais jogados fora – dinheiro que poderia ser empregado na realização dos seus sonhos e na concretização da tão sonhada saúde financeira.

Este é o momento de parar, refletir e mudar. Transformar os hábitos para gerar riqueza, e não apenas para gerar montanhas de lixo, porque é no lixo, na maior parte das vezes, que vão parar os "bens" e produtos que você compra sem necessidade.

- **Quem conhece os próprios números é capaz de gastar menos do que ganha;**
- **Quem gasta menos do que ganha é capaz de eliminar suas dívidas;**
- **Quem elimina suas dívidas é capaz de guardar dinheiro;**
- **Quem guarda dinheiro constrói sua independência financeira e pode oferecer maior conforto aos seus familiares.**

Saiba quanto você deverá poupar a partir de hoje

Para que você sinta de forma mais intensa o impacto que essa mudança pode trazer à sua vida, proponho que faça o cálculo de quanto deveria ter poupado até agora para se considerar no caminho da independência financeira. Mas, independentemente do resultado, fique tranquilo e entenda que você agora tem a **Metodologia DSOP** do seu lado e, certamente, conseguirá obter êxito. Veja o exemplo de uma pessoa que iniciou sua jornada de trabalho aos 18 anos de idade. Hoje com 40 anos, ganha 1.800 reais por mês (totalizando 21.600 reais por ano). Entendendo que teve uma variação no seu ganho desde o seu primeiro salário até o presente, poderemos ter um salário médio de 1.000 reais mensais (totalizando 12.000 reais por ano). Veja abaixo o quanto ela poderia ter acumulado de dinheiro.

Calcule quanto deve ter de dinheiro hoje

Anos trabalhados	X	Ganho médio anual	=	Resultado	X 10%	Valor poupado que gere riqueza	X	Rendimento mensal (0,65% ao mês)
22		R$ 12.000,00		R$ 264.000,00		R$ 26.400,00		R$ 171,60

Nesse exemplo, a pessoa que recebe um salário de 1.000 reais mensais deveria ter poupado até os 40 anos o valor de 26.400 reais.

Na planilha a seguir, você poderá fazer seus próprios cálculos para saber quanto deveria ter de dinheiro guardado até hoje para estar a caminho de sua independência financeira.

Calcule quanto deve ter de dinheiro hoje

Anos trabalhados X Ganho médio anual	= Resultado	X 10% Valor poupado que gere riqueza	X Rendimento mensal (0,65% ao mês)	

Antes de se desesperar, preste atenção: o cálculo que você acaba de fazer não tem importância a partir de agora. Ele está aí simplesmente para que você tome consciência do que foi sua vida financeira até aqui. Agora você já está no processo de virar o jogo. Já descobriu quem é, como vive e quais são seus pontos frágeis na vida financeira. Com esse conhecimento em mente, você tem todas as condições de fazer a transformação necessária.

A responsabilidade em relação ao que fazemos nesta vida está diretamente ligada ao grau de consciência que temos de nossos atos. Sua consciência agora está plenamente iluminada: acabou o tempo da desculpa, das justificativas que não justificam nada. Sua prova final começa agora, na disposição, na disciplina e na constância de aplicar o que foi ensinado até aqui e ver a extraordinária mudança que a vida lhe reserva.

Fórmula DSOP da Independência Financeira

Esqueça o passado e concentre-se no agora, no modo como você precisa agir, no equilíbrio necessário para cultivar sua independência financeira a partir de hoje.

Ao longo de minha vida, pude perceber que, para se obter a tão sonhada Independência Financeira ou Aposentadoria Sustentável, é preciso que uma pessoa acumule uma reserva financeira ou tenha bens que gerem riquezas, sendo que o montante possa proporcionar um ganho mensal que seja no mínimo o dobro do padrão de vida, onde o resultado entre a renda passiva e o padrão de vida deverá ser maior que 2 (dois). Segue fórmula e exemplo:

$$\textbf{Independência Financeira:}\ \frac{\text{Renda passiva (ganhos juros/aluguel)}}{\text{Padrão de vida (custo família mensal)}} = 2$$

$$\textbf{Independência Financeira:}\ \frac{\text{R\$ 3.650,40}}{\text{R\$ 1.800,00}} = 2$$

Aí está o grande desafio para você que deseja alcançar este sonho, como já mencionei na introdução deste livro sobre a forma como alcancei minha independência financeira, guardando parte do dinheiro que passou por minhas mãos todo momento de minha vida, simples assim! Porém, trata-se de hábitos e costumes adquiridos e não de planilhas ou fórmulas mirabolantes. Por isso o conceito de que educação financeira é uma ciência humana, e não exata.

Para que qualquer pessoa possa conhecer o número do seu sapato da independência financeira, desenvolvi uma fórmula simples e objetiva, **"Fórmula DSOP da Independência Financeira",** que consiste em levantar dados pessoais como a **idade desejada para a aposentadoria** e o **ganho anual** – fatores imprescindíveis para encontrar o número desejado, acumulando uma reserva financeira de, no mínimo, duas vezes o padrão de vida de uma pessoa. Para que conseguisse chegar ao valor que proporcionasse o dobro do padrão de vida, utilizei o percentual de 40%. Também observo que, nos casos em que as taxas de juros mensais praticadas no mercado financeiro brasileiro sejam menores de 0,50%, o percentual de 40% deverá ser aumentado.

Para facilitar o entendimento, desenvolvi um exemplo de uma pessoa que ganha R$ 1.800,00 mensais (padrão de vida) e quer se aposentar aos 60 anos de idade:

Fórmula DSOP da Independência Financeira

Idade com que deseja se aposentar	X	O que ganhou no último ano	=	Resultado	X 40%	Valor que deverá ter para a aposentadoria	Rendimento mensal (juros na aplicação 0,65% a.m.)*
60		R$ 23.400,00		R$ 1.404.000,00		R$ 561.600,00	R$ 3.650,40

* Observe que o valor dos juros ganhos na aplicação mensal deverá ser sempre no mínimo o dobro de seu rendimento mensal ou padrão de vida.

Para descobrir quanto você precisa acumular para sua aposentadoria, anote o seu ganho dos últimos 12 meses e insira na tabela a idade com que pretende se aposentar. O resultado mostrará o valor que você deverá ter poupado ao longo da vida, ou seja, o suficiente para manter o padrão de vida atual em sua aposentadoria. Imagine que esse seja o seu número, como se fosse o número do seu sapato, e tenha-o sempre em mente.

Fórmula DSOP da Independência Financeira

Idade com que deseja se aposentar	X	O que ganhou no último ano	=	Resultado	X 40%	Valor que deverá ter para a aposentadoria	Rendimento mensal (juros na aplicação 0,65% a.m.)*

* Observe que o valor dos juros ganhos na aplicação mensal deverá ser sempre no mínimo o dobro de seu rendimento mensal ou padrão de vida.

Preencha o quadro abaixo ou, se preferir, utilize a fórmula DSOP disponível em nosso portal. Refaça anualmente essa fórmula, pois o seu ganho vai aumentar, e quanto mais você ganhar maior deve ser sua reserva financeira.

Seja previdente

Como foi dito desde o início deste livro, você deve reter 10% do que ganha se quiser começar a construir sua independência financeira. Porém, à medida que se habituar a poupar esses 10%, eles passarão a lhe parecer pouco. O esforço inicial será substituído pela sensação tranquila de hábito. Quando perceber que esse hábito se transformou em cultura, é porque chegou a hora de avançar um pouco mais.

Reter 10% dos rendimentos é muito importante, mas talvez não seja suficiente, dependendo do padrão de vida ao qual você está acostumado. Também este percentual deverá ser maior, dependendo da sua idade, quanto maior a idade, maior será o percentual. Sendo assim, se você deseja viver sua maturidade com tranquilidade, deve considerar seriamente a possibilidade de fazer um plano de previdência privada ou investimento similar.

Estimativas de instituições financeiras mostram que apenas 6% dos brasileiros pagam algum tipo de complementação ao INSS (Instituto Nacional do Seguro Social).

Aliás, ao contrário do que muitos dizem, o desconto do INSS não é apenas um mecanismo que diminui nossos rendimentos. Trata-se de uma poupança compulsória criada pelo Governo Federal e que, apesar das deficiências, tem sido a única salvação para nossa população aposentada, já que é a Previdência Social que garante a sobrevivência de milhões de brasileiros.

Avalie o teto máximo do INSS, ou seja, o limite com que você pode aposentar-se. Se hoje você tem uma remuneração superior a esse valor, certamente precisará complementar essa aposentadoria, caso queira manter seu padrão de vida atual, observando ainda o fator redutor por parte do INSS, visto que com o aumento da expectativa de vida da população brasileira, tem sido muito comum pessoas contribuírem pelo teto máximo e receber seu benefício até 40% menor.

Há uma série de planos de previdência privada disponíveis no mercado. Se houver essa possibilidade, não deixe de fazer um. Procure o gerente do seu banco, pesquise, busque aquela alternativa que tenha a melhor adequação às suas necessidades. Não deixe de pesquisar também nas seguradoras, que muitas vezes não cobram taxa de carregamento. Observe que a previdência privada possui taxas de administração e taxas de carregamento que precisam ser negociadas com bancos e seguradoras. O ideal é uma taxa de administração que não seja maior que 1% ao ano. Chamo a atenção aqui para que você observe não apenas a taxa, mas também a rentabilidade da sua previdência. É preciso levar em conta a possibilidade de portabilidade para outras instituições, sem qualquer custo.

E não se esqueça de fazer um seguro de vida, ou ainda um seguro capitalizado (seguro mais capitalização em dinheiro). No caso de uma ruptura precoce (morte/invalidez) do titular, o seguro garantirá que a família possa manter o padrão de vida planejado, proporcionando uma continuidade da estrutura financeira familiar.

Quando falo de seguro de vida, não me refiro àquele sem planejamento, ou seja, aquele que se faz em banco para obter uma linha de crédito ou algo assim. Refiro-me a um seguro de vida no qual se tenha direito ao valor do prêmio ideal, necessário para cobrir e manter um padrão de vida já existente, incluindo todas as fases futuras da vida familiar, como estudo dos filhos, ausência de trabalho por parte do titular e provedor da casa.

Para isso, é necessário descobrir o valor que garantirá um rendimento mensal (em forma de juros), que seja, de preferência, o dobro do equivalente ao seu padrão de vida.

O ideal é utilizar como parâmetro o mesmo valor encontrado na **"Fórmula DSOP da Independência Financeira"**. Assim, em caso de sinistro, o prêmio do seguro será equivalente ao valor total que você teria de guardar para manter o padrão de vida da família. Faça somente seguro do provedor principal, ou seja, de quem proporciona a maior parte da renda familiar. Como complemento, é sempre recomendável também ter uma reserva financeira estratégica para cobrir eventuais gastos não previstos, sem ter de mexer nos valores poupados para a independência financeira.

Poupe mais comprando com desconto

O ato de comprar é um dos mais importantes para se conquistar a independência financeira. Digo isso porque, ao longo de minha história de sucesso financeiro, uma das melhores estratégias para poupar meus recursos foi justamente conseguir descontos. Isso significa que, na maior parte das minhas compras, apesar de gastar, eu estava poupando, pois os ganhos acima de 10% no ato da compra representam mais do que eu ganharia em qualquer tipo de aplicação.

Se você analisar criticamente, verá que são pouquíssimas as aplicações financeiras que proporcionam rentabilidade de 10% ao ano, algo que você pode ganhar facilmente fazendo uma boa negociação nas suas compras à vista. Ou seja, comprar com consciência significa, antes de mais nada, comprar aquilo que agrega valor a nossas vidas e adquirir o produto ou serviço, igual ou equivalente, ao menor preço possível e com a melhor condição de pagamento. Comprar à vista e com desconto é o mesmo que poupar.

Se você é do tipo que tem vergonha de pedir desconto, preste atenção. Todo produto ou serviço tem embutida uma margem que pode – e deve – ser negociada. Por que você acha que o mesmo produto é vendido em determinada loja ou momento do ano por 100 reais, e em outra por 75 reais, ou 55 reais? Porque existe um custo real e um valor de troca. Comprar abaixo do custo é quase impossível. Apenas em situações-limite um comerciante põe seu produto à venda abaixo do custo. Mas descontos generosos, muito acima de suas expectativas, podem ser alcançados. É só você ter calma e saber esperar. Lembre-se desta frase: "Quem espera sempre alcança!".

Não compre sem pesquisar, no "calor da hora". Busque o produto em pelo menos cinco lugares diferentes, bem como em lojas virtuais, sempre perguntando pelo preço à vista. Não se esqueça nunca do valor e do respeito que você deve ao seu dinheiro. Pense no quanto cada real economizado, e aplicado, fará diferença em sua saúde financeira. Para analisar melhor seu comportamento em relação às compras, reflita um pouco e descubra seu "eu" consumidor:

Descubra que tipo de consumidor você é

CONSUMISTA	CONSCIENTE
Gasta compulsivamente	Pondera antes de comprar
Desperdiça	Faz bom uso de tudo o que compra
Orienta-se pelo *status*	Orienta-se por um estilo de vida sustentável
Faz *shopping*-terapia	Só vai às compras quando realmente precisa de um produto
É imediatista e ansioso na hora da compra	É previdente e pensa no impacto da compra no futuro financeiro

Reflita antes de sair comprando

O consumo inconsciente é o pior inimigo do equilíbrio financeiro. Quem reflete de forma constante sobre as suas reais necessidades de consumo, tende a ter uma vida financeira mais saudável. Portanto, toda vez que for comprar alguma coisa, pergunte-se se o produto que você deseja agregará alguma coisa em sua qualidade de vida. Certifique-se de que ele é realmente necessário. Ao tomar a decisão de compra, pesquise em pelo menos cinco lugares diferentes, inclusive na internet. Se tiver dúvida entre comprar ou não comprar, deixe para o dia seguinte. Se for algo realmente importante, você certamente voltará à loja para comprar.

Caso não tenha todo o dinheiro para fazer a compra que deseja, faça um orçamento e comece a poupar (guardar), até que tenha a quantia necessária para efetuar a compra, de preferência à vista. Lembre-se de que pagar à vista é sempre o melhor negócio. Não aceite a clássica resposta "é o mesmo preço à vista". Se um produto custa mil reais e pode ser parcelado em 10 vezes de 100 reais, certamente à vista custará de 10% a 20% menos. É uma questão de negociar.

Se for preciso parcelar, fique atento às parcelas para que caibam em seu orçamento.

O ideal é ter sempre em mãos uma lista, tanto para idas cotidianas ao supermercado, como para datas especiais, como Natal e Dia das Crianças, entre outras. Verifique a despensa e vá às compras com a lista de produtos e a quantidade necessária já definidas. Caso seus filhos não tenham ainda consciência do valor do dinheiro, evite levá-los junto com você quando for às compras.

Cuidado com propagandas do tipo "pague 2, leve 3". Muitas vezes o custo unitário sai mais barato. Além disso, você corre o risco de estocar mercadoria em casa e perder o prazo de validade. Lembre-se de que não desperdiçar também é poupar.

Para não gastar mais do que você pode, uma estratégia eficiente é estabelecer valores (verbas) para seus diferentes tipos de gastos. Isso o ajudará a não exagerar em algumas compras e deixar de fazer outras, às vezes mais necessárias.

Se perceber que exagerou na dose, o ideal é puxar o freio de mão e repensar o uso que você vem fazendo do seu dinheiro, antes de fazer novas compras. Por força do hábito, sempre achamos que merecemos mais do que temos ou podemos ter; daí para comprar sem pensar, desequilibrando a vida financeira como um todo, é um passo.

Fique atento na hora de escolher o meio de pagamento

Cartão de crédito é um meio de pagamento, e não uma despesa, como muitas pessoas acabam interpretando. O problema não é o cartão de crédito e sim o que compramos com ele. Portanto, não resolve nada você adotar a tática radical de quebrar o cartão de crédito para não comprar. Eficaz mesmo é conscientizar-se, respeitar seus limites e usar o cartão de crédito a seu favor, e não contra você! O uso correto do cartão de crédito depende diretamente da forma como você recebe.

Caso seus rendimentos entrem mensalmente e você tenha apenas um cartão, este deverá lhe dar sempre uma folga de cinco dias após seu recebimento. Se você é um autônomo, profissional liberal ou empresário e tem possibilidade de receber em mais vezes durante o mês, o aconselhável é ter três cartões de crédito, com vencimento nos dias 10, 20 e 30 de cada mês, o que lhe trará uma maior flexibilidade nas compras. Por exemplo, se fizer uma compra no dia 23 do mês, o cartão a ser utilizado será o que possui vencimento no dia 30, já que a fatura só virá no mês seguinte, ou seja, no dia 30 do outro mês – você ganhará com isso 37 dias de prazo.

Mas que fique claro: não importa quantos cartões de crédito você tenha, o importante é que você nunca deve pagar apenas a parcela mínima, pois os juros são extorsivos e impraticáveis. Utilize seus cartões com moderação e inteligência. Pagar a parcela total da fatura é sempre a melhor opção. Caso isso não seja possível, busque alternativas, ou seja, faça outra linha de crédito se necessário, mas com juros que não ultrapassem 2,5% ao mês. Certamente será mais vantajoso.

Outra recomendação é não pagar a taxa de manutenção anual do cartão de crédito, ou seja, se hoje você paga essa taxa, sugiro que ligue para sua operadora e negocie. Não se esqueça de que os cartões de crédito trazem benefícios e bônus. Alguns até têm boas premiações, como milhas para viagem, entre outros produtos. Desde que você não pague por elas, é interessante utilizá-las.

Quanto ao limite do cartão de crédito, é recomendável que não seja maior do que 50% do seu salário ou ganho mensal. Se você recebe um salário de 1.800 reais, o limite deverá ser de 900 reais. Com isso, evitará ultrapassar sua real capacidade de pagamento. Todo cuidado é pouco para não cair no descontrole do cartão de crédito. Ele não pode ser o responsável por sua maior despesa do mês. Livre-se do fantasma das faturas impagáveis e encare o cartão de crédito como ele deve ser: apenas um meio para facilitar suas compras.

Com relação ao cartão de débito, pesquisas mostram que os brasileiros aumentaram a utilização desse meio de pagamento, o que sugere (em uma primeira análise) que estão comprando mais à vista do que a prazo. Mas nem sempre essa é a realidade. Muitas são as pessoas que pagam "à vista" no cartão de débito, mas estão, na verdade, financiando a compra no limite do cheque especial. Portanto, cuidado! – "Nem tudo que reluz, é ouro".

Livre-se das dívidas para poder poupar

Pode ser que você até aqui tenha achado que tudo faz sentido, parece fácil, apesar de isso não se aplicar a você, à sua condição atual, porque até agora não tocamos no assunto “dívidas”. A questão que talvez esteja perturbando seu raciocínio e minando sua crença nesta Metodologia seja: “Isso tudo funciona muito bem para quem não tem dívidas, mas e no meu caso? Como posso mudar de posição neste jogo se estou cheio de dívidas ou inadimplente?”.

Se essa é sua preocupação, fique tranquilo. As dívidas são resultado do que você comprou. O que realmente agrava o desequilíbrio financeiro é quando você perde a capacidade de pagamento, e o que irá levá-lo a retomar o controle financeiro certamente será seguir os ensinamentos da **Metodologia DSOP**.

Mesmo que seu limite de cheque especial esteja tomado e você já tenha contraído empréstimos a taxas altíssimas, pagando ao mesmo tempo o mínimo do cartão de crédito, há meses, ou seja, mesmo que esteja praticamente quebrado, é possível mudar essa situação. Se esse é seu caso, faça um diagnóstico de suas dívidas vencidas e não vencidas, detalhando o valor total, o prazo para saldar (caso estejam negociadas), as taxas de juros, o valor das parcelas etc.

Trata-se de uma etapa que pode ser dolorida e incômoda, tal como colocar o dedo diretamente sobre a ferida; contudo, é preciso ter coragem e força para enfrentar a situação. Este é o momento de combater a causa, não mais o efeito. É claro que, ao entrar em contato com o ponto mais dolorido, pode surgir algum desespero. Entretanto, lembre-se: assim como esse mal que o aflige demorou um tempo para se instalar, demorará um tempo para ser curado; porém ele tem cura, e é nisso que você deve focar.

Em geral, quando as pessoas se veem sem condições de saldar os compromissos assumidos, elas tendem a abandonar o barco. O raciocínio predominante é: "Como já sei que não tenho dinheiro para pagar as dívidas, nem quero calcular com precisão o que devo". Esse pensamento representa, de novo, a mente acomodada com a situação, sabotando a disposição da pessoa de virar o jogo. O ser humano se adapta às mais diversas e inimagináveis situações. Acostuma-se com o que é bom, mas também é capaz de adaptar-se às condições mais desfavoráveis da vida. Se você se habituou a viver na corda bamba, é natural que mostre certa resistência na hora de tomar as rédeas da sua vida financeira. Seja firme, não desista.

Talvez sua situação seja realmente muito crítica e, digamos, você precise de um tratamento de emergência, um *kit* de primeiros socorros. Mas não se deixe abater. A solução está ao seu alcance. Quando estamos em dificuldades, a percepção fica alterada e, por isso, não conseguimos visualizar nenhuma saída. Procure ser o mais racional possível. Neste momento, a emoção deve ser colocada de lado. Focalize sua atenção nos números. Calcule o montante de sua dívida e estabeleça, com total frieza e fidelidade, qual o valor de que dispõe para saldar as pendências.

Todavia, não se esqueça: esse valor só poderá ser deduzido de suas receitas depois que tiver retido os 10% iniciais e os valores necessários para garantir a realização dos seus sonhos. Ou, ainda, você pode transformar o desejo de sair das dívidas no seu maior sonho e canalizar para a realização dele todo o recurso que você puder. Entenda: o nível de esforço que precisará fazer resultará de uma equação dada pela relação entre as receitas e as despesas.

Quanto mais receitas e menos despesas tiver, maior será o valor disponível para saldar as dívidas e menor será o esforço necessário para se reequilibrar. Se você não tem como aumentar as receitas, há somente um caminho a seguir: diminuir as despesas. Mesmo que sua situação não lhe pareça fácil, é preciso estabelecer prioridades, analisar friamente cada despesa e cortar os excessos e supérfluos. Daí você criará a margem necessária para saldar suas dívidas.

Você deve fazer uma simulação de quanto é preciso para viver com o mínimo possível durante o tempo necessário para saldar as dívidas, portanto a união da família é imprescindível para uma ação conjunta. Adote uma estratégia de guerra, tomando a dívida como seu maior inimigo.

Neste momento, sua dúvida pode ser: "Mas como ficam meus credores? Sobrará muito pouco para destinar ao pagamento das dívidas". Pois aqui vale um raciocínio contrário ao que propus quando falamos do sonho. Enquanto você não assumir pleno e absoluto controle do seu dinheiro, sua postura, neste caso, deve seguir o sábio dito popular: "Devo, não nego. Pago quando [e como] puder". Exatamente isso! Os credores podem e vão ter de esperar.

Em primeiro lugar, faça o diagnóstico do montante das dívidas e liste-as seguindo o critério das maiores para as menores. A visão proporcionada por essa estratégia o ajudará a tomar a decisão mais acertada na hora de eleger as prioridades.

- **Relacione todas as dívidas em ordem de prioridade;**
- **Priorize as dívidas essenciais (educação, água, gás, energia elétrica etc.) e, em seguida, as com maior taxa de juros;**
- **Poupe o valor proposto para uma futura negociação caso o credor não queira fazer acordo;**
- **Exija a exclusão de seu nome do cadastro de inadimplentes quando o acordo for fechado;**
- **Observe se a prestação da dívida negociada irá caber em seu orçamento;**
- **Fique atento às dívidas que têm bens em garantia.**

Não há uma fórmula pronta para determinar quais dívidas você deverá quitar primeiro. Em princípio, considere duas possibilidades.

A primeira é saldar as pendências essenciais. A maioria das empresas se dispõe a fazer os acordos e os parcelamentos sem juros, mantendo o fornecimento dos serviços. Mas não se esqueça de que as negociações, os acordos e os parcelamentos das dívidas precisam caber no valor encontrado dentro do seu orçamento financeiro. Do contrário, você não conseguirá honrar os compromissos assumidos.

Se precisar prolongar os prazos, desde que isso não implique cobrança de juros altos, estenda-os tanto quanto necessário, para que a parcela caiba em sua disponibilidade de recursos. A segunda possibilidade é examinar quais são as dívidas com maior taxa de juros. Provavelmente, aqui entrará uma das batalhas mais importantes: a negociação com as instituições financeiras.

É a hora do seu acerto de contas com aqueles que, no passado, você julgou serem os verdadeiros salvadores da pátria – o gerente do banco, que lhe concedeu cartões de crédito e um excelente limite no cheque especial, além de créditos pré-aprovados, dizendo que você podia sacar no caixa eletrônico nos momentos de aperto; e aqueles que pagaram um, dois, dez cheques seus, mesmo depois de você ter estourado seu limite.

Não se martirize por isso. Na época, essas eram as únicas saídas que você visualizava. Você estava mal das pernas e eles lhe ofereceram uma muleta para se apoiar. Na falta de algo melhor, deixou-se levar. É claro que não se trata de culpá-los por sua situação. Eles, obviamente, só fizeram o negócio deles. Lembre-se: o negócio das instituições financeiras é vender dinheiro, e os juros são seus lucros, exatamente como o negócio das lojas é vender produtos, e os juros cobrados na venda a prazo configuram seu lucro.

A verdade é que você precisará se armar de todo o seu poder de negociação e persuasão para conversar com eles e eliminar juros, multas e todos os encargos que tentarem lhe empurrar. Por isso é importante que você tenha a segurança de sua margem de negociação. Sabendo exatamente quanto pode comprometer para saldar essa e outras dívidas, certamente terá mais segurança e sucesso em sua abordagem. Daí a importância do diagnóstico financeiro, que mostrará a você e ao seu credor a verdadeira situação em que se encontra, passando a ele a credibilidade de que a partir de agora será possível saldar sua dívida em definitivo.

Qualquer desconto que conseguir nessas negociações significará maior margem para quitar os débitos e, assim, recuperar mais rapidamente a saúde financeira. Nada de se sentir constrangido no momento da negociação. Não se esqueça de que o interesse de resolver tais pendências é seu, mas o credor também quer receber o valor devido e pode estar mais ou menos inclinado a facilitar seu lado – tudo dependerá de sua postura e transparência como devedor.

Esse é um ponto fundamental. Não caia na armadilha de se sentir humilhado ou diminuído por uma contingência, algo momentâneo, que será superado muito antes do que imagina. Acredite: quando você toma a decisão certa, o universo conspira a seu favor. Você verá que, quanto mais seguro estiver nos seus propósitos – e conseguir passar tal segurança para os credores –, mais facilidades terá para encontrar o rumo certo.

Digamos que suas dívidas mais pesadas estejam concentradas nos bancos. Vejamos um exemplo:

RELAÇÃO DE DÍVIDAS

Dívida	**Valor (R$)**	**Juros (taxa mensal)**
Cheque especial	3.000,00	7%
Empréstimos	2.000,00	3%
Financiamento do carro	9.000,00	1,8%
Total da dívida	**14.000,00**	

Em casos como esse, considerando o volume de rendimentos com o qual estamos trabalhando até aqui – um total líquido de 1.800 reais –, a margem de manobra para a quitação das dívidas é pequena, se comparada ao montante acumulado. A situação complica-se ainda mais se levarmos em conta os juros que incidem sobre os valores.

Digamos que você disponha, em seu orçamento, de apenas 200 reais mensais para saldar as dívidas, como no exemplo a seguir.

Total de receitas líquidas	**R$ 1.800,00**
(-) Total de retenção (10%)	R$ 180,00
(-) Prestação da casa própria	R$ 480,00
(-) Valor mensal para os sonhos	R$ 330,00
(-) Margem para saldar as dívidas	R$ 200,00
= Saldo para adequação do padrão de vida	**R$ 610,00**

Caso esse valor não seja suficiente para negociar os 14 mil reais que você deve ao banco, então, por um tempo predeterminado, você poderia somar a esses 200 reais uma parte dos 330 reais que estariam destinados aos seus sonhos de curto, médio e longo prazo. É importante ressaltar que sair das dívidas também é um sonho e neste caso deverá escolher entre os três sonhos, um deles deverá ser o de sair das dívidas, mas afirmo: não deverá ser o único, é preciso manter a motivação, existem pessoas que vivem uma vida inteira focando em sair de suas dívidas. Um exemplo bastante oportuno é quando uma pessoa tem entre seus sonhos a compra da casa própria e acaba financiando por 20 ou 30 anos. Quando ela recebe as chaves da casa própria, está realizando um dos principais e mais importantes sonhos de sua vida e, deste momento em diante, deveria apenas proteger esta prestação mensal e já pensar em outro sonho de longo prazo, já que o da casa foi realizado. Mas o que acaba acontecendo é que ela, por ter financiado a casa própria, a longo prazo, termina substituindo este sonho da casa e transformando em outro, sair da dívida da casa própria. É preciso assumir a dívida independente de seu prazo, a paciência é o segredo. Lembre que estar endividado não é um problema, mas estar endividado e não conseguir honrar a prestação, aí sim, é um grande problema. Afinal de contas, se você almeja de fato recuperar o equilíbrio financeiro, isso, no momento, talvez seja mesmo o seu maior sonho, porém alerto para que nunca seja o único.

Outro ponto positivo de tal estratégia é que, munido de todas essas informações, você estará mais seguro para negociar e, com certeza, alcançará resultados muito melhores. Uma orientação que pode ajudar na negociação com os responsáveis do banco é tentar juntar todas as dívidas em um só pacote, com uma taxa de juros mais razoável, se possível. Assim ficará mais fácil cumprir o compromisso assumido.

Vencida essa etapa, é imprescindível manter o hábito de anotar todos os gastos diariamente, nos três primeiros meses, e anualmente fazer um novo diagnóstico, seguido de um apontamento, para garantir a permanência de sua saúde financeira, a fim de perseverar no controle e na adequação de seu padrão de vida.

Mais importante ainda é honrar o compromisso. Quanto mais cedo você realizar o sonho de se livrar das dívidas, mais rápido poderá ter seus outros sonhos também realizados. Pelo tempo que for necessário para saldar a dívida, procure viver com o estritamente essencial. Não se esqueça de que abrir mão de pequenos desejos hoje é a chave para a sua sustentabilidade financeira amanhã.

Recomendo a leitura do meu livro *Livre-se das Dívidas,* em que apresento de forma detalhada os caminhos para que uma pessoa possa sair de seus problemas de endividamento, que podem ser de dois tipos: **Dívidas de valor** e **Dívidas sem valor**.

Dívidas de valor – são as que trazem bens em garantia, como é o caso da casa própria e do automóvel, que realmente agregam valor em nossas vidas.

Dívidas sem valor – são resultado final das compras sem valor que fazemos, quase sempre por impulso, coisas que geralmente não agregam muito em nossa vida: aquela esteira ergométrica que você comprou e virou cabide para roupas, porque nunca foi usada; os sapatos de modelos parecidos comprados na liquidação e que na estação seguinte saíram de moda. A lista poderia se prolongar ao infinito, porque já virou parte da rotina das pessoas adquirir coisas que não agregam de fato muito valor às suas vidas. Às vezes, sem perceber o tamanho do buraco em que estão entrando.

Mapeie seu DNA financeiro

Em minhas consultas de terapias financeiras e aconselhamentos sobre educação financeira, é muito comum encontrar pessoas que tiveram um passado financeiro relativamente regrado e, de um momento para o outro, perderam as rédeas das finanças pessoais e entraram em uma espiral de desequilíbrio.

Quando investigamos com mais profundidade as origens do problema, é comum encontrarmos as causas em um casamento com alguém cujo padrão de vida era muito diferente; na chegada inesperada de um filho, que mudou as prioridades do casal; em uma guinada ou em uma decaída na vida profissional; na compra de um imóvel acima do poder aquisitivo; na compra de um veículo sem considerar o custo de manutenção; em uma separação inesperada, e assim por diante.

O que vejo mais frequentemente é que as pessoas são levadas pelos acontecimentos e, quando atingem uma situação financeira caótica, sequer compreendem direito como chegaram até ali. É justamente essa conscientização que pode mudar o rumo da sua vida. Portanto, procure, junto com as medidas práticas esboçadas neste livro, fazer também uma reflexão sobre as razões emocionais que levaram você a desenvolver esse comportamento de risco nas finanças.

Experimente, a título de autoconhecimento financeiro, traçar a sua árvore genealógica, investigando como era o comportamento dos seus pais, avós e bisavós em relação ao dinheiro. Com isso, você talvez identifique de onde vieram o seu comportamento e suas principais crenças em relação às finanças.

Observe, nessa investigação, qual foi o destino de cada um dos seus antepassados. Procure identificar se eles morreram endividados ou não, se tinham posses ou não, se tiveram uma velhice digna ou passaram parte da vida dependendo dos outros, mesmo que os outros sejam as instituições financeiras.

Com base nessas informações, você disporá de uma espécie de mapa do seu DNA financeiro e saberá se tem, ainda que potencialmente, a tendência de ir para um lado ou para o outro.

Faça uma autorreflexão analisando a qual galho dessa árvore genealógica financeira você quer se filiar. Pois a única maneira de construir um futuro diferente é tendo conhecimento de como outros agiram antes de nós e observando os resultados que eles alcançaram, para seguir o mesmo caminho ou buscar outro rumo.

Depois de montar a sua árvore genealógica, procure também pensar sobre o seu comportamento em relação ao dinheiro, desde quando era criança. Tente descobrir se você adotou o comportamento de hoje na adolescência, no início da vida adulta ou já na maturidade. Busque, a partir dessa rememoração, compreender qual foi o modelo que você tomou como exemplo, conscientemente ou não.

É muito importante que você perceba em que ponto da sua caminhada você se desequilibrou. Só assim, você poderá recuperar mentalmente seu equilíbrio e voltar a uma situação de prosperidade e crescimento sustentável, sem cometer os mesmos erros que seus antepassados cometeram.

Reconstitua sua árvore genealógica financeira e descubra em qual situação financeira seus antepassados viveram: endividados, equilibrados ou investidores. Complete os espaços em branco da árvore ao lado com a situação financeira de cada geração de sua família. Caso não se lembre, procure pesquisar com seus parentes.

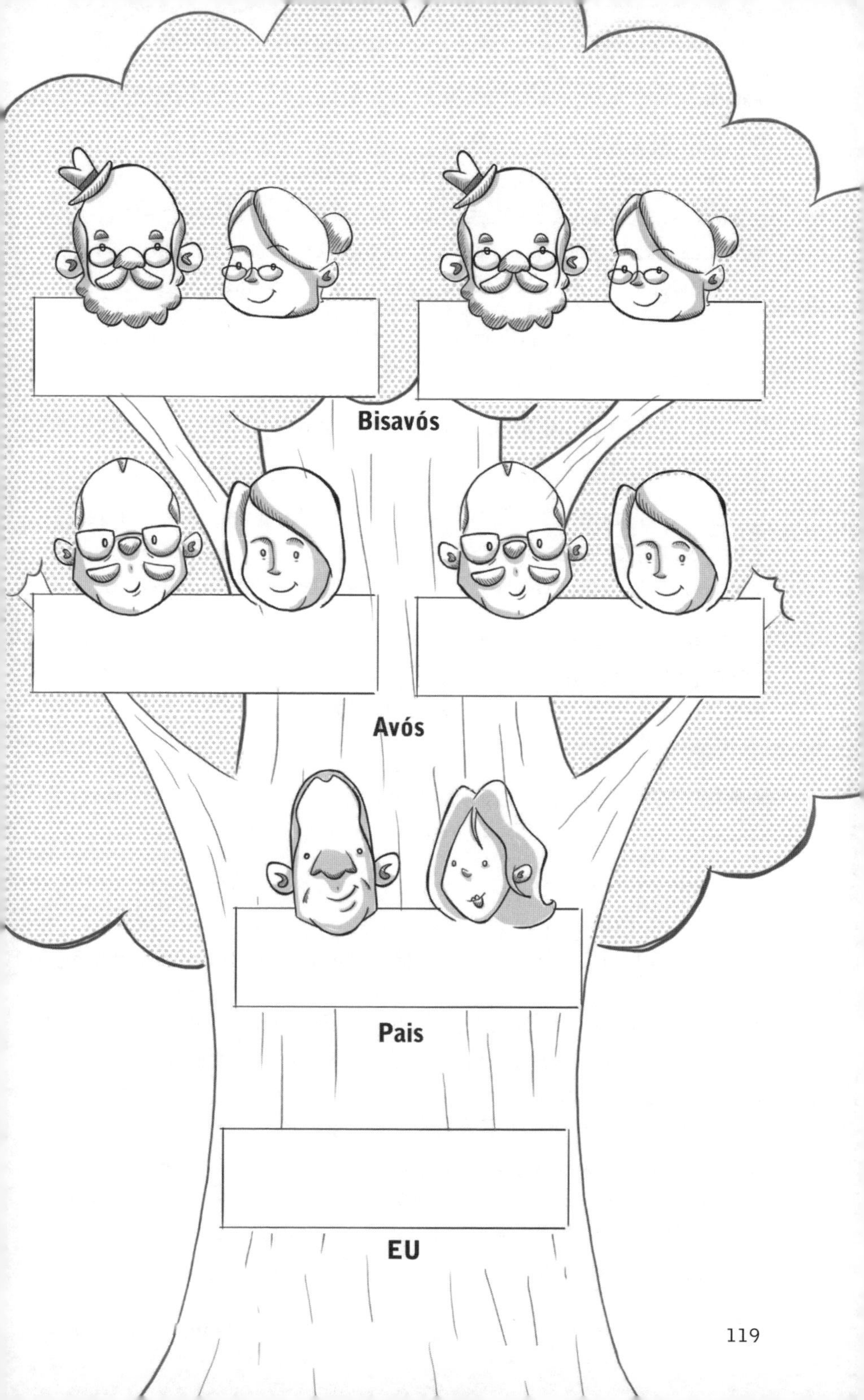
Bisavós
Avós
Pais
EU

Após analisar seu DNA, você conseguirá refletir sobre o comportamento de seus antepassados em relação ao dinheiro e os resultados alcançados por eles. Ao comparar esse passado com a sua situação no presente, você poderá descobrir que:

- Seu endividamento tem origem no modo como seus antepassados lidavam com o dinheiro.

- Seu endividamento não tem nenhuma relação com o comportamento dos seus antepassados.

Seja qual for o resultado dessa descoberta, o importante é que esse exercício ajudará você a perceber o papel do dinheiro na realização dos sonhos das gerações anteriores e posteriores a você.

Com essa consciência racional e emocional ampliada, você se sentirá mais motivado e disposto a começar a construir hoje uma história de mais prosperidade e equilíbrio.

Olhar para o passado é um requisito fundamental para quem deseja se reeducar financeiramente e garantir um futuro mais equilibrado para seus filhos, netos e bisnetos.

Como já dissemos, a educação financeira ainda é um tema pouco discutido nos lares brasileiros e uma espécie de tabu nas relações familiares. Em geral, o que acontece com mais frequência é virar um elemento de conflito, justamente por não ser discutido de forma aberta e transparente. Isso significa que, quanto mais luz você jogar sobre esse assunto, mais fácil vai ser lidar com essas questões daqui em diante. É preciso combater a causa do problema e não mais o efeito. E o melhor: resolvendo as suas próprias questões em relação ao dinheiro, você estará mais saudável e equilibrado para plantar a semente da prosperidade na sua casa, no seu ambiente de trabalho e em todas as comunidades das quais você possa vir a participar.

Entenda como aplicar o dinheiro guardado

Como já foi dito, antes de aplicar é preciso guardar. Portanto, poupar é diferente de investir. Agora que você já percebeu a importância de poupar e de atrelar os sonhos ao dinheiro retido, vamos aos tipos de aplicação.

De um modo geral, o melhor lugar para aplicar seu dinheiro depende de quanto você possui e de quanto tempo pretende deixá-lo aplicado. Há diversas maneiras de investir, mas o melhor é começar indo com menos "sede ao pote".

Ou seja, não se arriscar. Invista seu dinheiro de maneira a ter sempre a certeza de que ele poderá retornar a qualquer momento para suas mãos, pois isso lhe garantirá liquidez. Portanto, ao aplicar suas economias, considere sempre o prazo para resgatar ou utilizar esse dinheiro: se é de curto, médio ou longo prazo.

É preciso levar em conta também qual é o seu perfil como investidor: conservador, moderado ou arrojado.

- **Conservador: não corre riscos.**
- **Moderado: corre riscos em uma pequena parte do investimento.**
- **Arrojado: prefere correr riscos e ter mais retorno na aplicação.**

Como eu disse, para quem está começando e vai aplicar suas primeiras economias para realizar os primeiros sonhos, o ideal é ter cautela. Tomadas essas primeiras decisões, você estará pronto para iniciar suas pesquisas no mercado financeiro e escolher o melhor tipo de aplicação, buscando instituições financeiras sólidas e de grande porte.

É recomendável que você conte sempre com o acompanhamento de um especialista e siga pelo menos algumas orientações gerais: diversificar os investimentos e não concentrar todo o seu dinheiro em uma única instituição financeira, distribuindo-o em pelo menos três delas. Uma possibilidade é escolher uma instituição para cada tipo de sonho – de curto, médio e longo prazos.

Feita a escolha, periodicamente você deve realizar uma análise comparativa dos ganhos obtidos e das rentabilidades entre as instituições, envolvendo também as demais do mercado. Analise periodicamente as rentabilidades e taxas de seus investimentos. Não tenha medo de trocar a instituição "x" pela "y", caso esta seja mais vantajosa, pois a maioria das transferências não gera custos, como é o caso das previdências privadas e dos fundos de investimentos.

Conheça o tipo de aplicação adequada ao tempo

CURTO PRAZO - A aplicação mais comum desse tipo é a caderneta de poupança, porém, depois que o governo interviu e mudou sua forma de remuneração ela se tornou ainda menos atrativa, porém ainda recomendo. A caderneta de poupança traz ainda algumas vantagens, como ser isenta de taxa de administração, ter liquidez, ser isenta de imposto de renda e ter parte garantida pelo governo federal, além de abrir mão de consultas a profissionais especializados.

MÉDIO PRAZO - É ideal para quem deseja guardar o dinheiro durante prazos de um ano até dez anos. Investimentos que têm essa característica: CDB, títulos do tesouro direto, fundo de investimentos, aplicação em ouro. Mas essas alternativas requerem profissionais especializados que ajudem a avaliar vantagens e riscos. Qualquer que seja o caminho, ainda recomendo sempre pesquisar no mínimo três bons especialistas de investimentos de diferentes instituições isentas e independentes.

LONGO PRAZO - Requer um cuidado maior, por se tratar de investimentos de longo prazo, ou seja, acima de dez anos. Investimentos que têm essa característica: previdência privada (PGBL - Plano Gerador de Benefício Livre, recomendado para quem paga mensalmente Imposto de Renda, e o VGBL – Vida Gerador de Benefício Livre) e título do tesouro direto. Neste caso, chamo sua atenção para as taxas de administração e também de carregamento, como o caso da previdência privada.

Temos ainda a contribuição ao Instituto Nacional de Seguridade Social – INSS, que, mesmo com sua baixa remuneração aos aposentados, tem sido ainda a única fonte de renda de milhões de beneficiários, portanto contribua. Quanto a investir em ações na Bolsa de Valores, é preciso entender que, ao comprar ações, a pessoa está comprando parte daquela empresa. Se ela for bem e gerar lucros, as ações se valorizam, proporcionando a seus acionistas dividendos e juros sobre capital e ainda, quando optarem pela venda das ações, ganharão pela sua valorização. Porém, se a empresa gerar prejuízos e vier a quebrar, o investimento pode virar pó. Lembre-se de que o dinheiro ganho com o trabalho deve ser respeitado e, para tanto, aplicado com segurança. Investir em imóveis em determinada época pode ser sem dúvida um bom investimento, porém com baixa liquidez.

Independentemente de onde aplicar, é preciso sempre lembrar que, ao investir seu dinheiro, deverá ter os sonhos atrelados a estes investimentos, e nunca concentrar todo seu dinheiro em uma única instituição, como diz o antigo ditado: "Nunca concentre todos seus ovos em uma única cesta".

A grande maioria das pessoas, geralmente, quer saber quais são as melhores aplicações e investimentos e geralmente eu respondo: guardar dinheiro! O grande benefício que uma pessoa pode adquirir é o hábito de guardar, poupar dinheiro. Somente quando temos o dinheiro é que podemos investir e realizar nossos sonhos e desejos.

Ciclo da Independência Financeira

CONSCIENTIZAÇÃO

Diagnosticar

1. Reúna a família para fazer o diagnóstico das despesas, incluindo as crianças.

2. Anote no Apontamento de Despesas seus ganhos e gastos.

3. Registre o que possui de bens móveis (veículos) e imóveis (casas).

4. Registre quanto tem de dinheiro guardado até hoje.

5. Registre suas dívidas (se as tiver).

6. Assuma o controle de sua vida financeira.

7. Descubra seu "eu" financeiro.

MOTIVAÇÃO

Sonhar

1. Reúna a família e descubra os sonhos individuais e coletivos.

2. Registre os sonhos de curto, médio e longo prazos.

3. Levante quanto custam e em quanto tempo deseja realizá-los.

4. Comece a reduzir os excessos de despesas e a trocá-los pelos sonhos.

5. Priorize os sonhos antes mesmo de sair gastando o dinheiro de que dispõe.

6. Guarde dinheiro para todos os sonhos, inclusive o da independência financeira.

Orçar

1. Elabore o Orçamento Financeiro DSOP.

2. Faça projeções de médio e longo prazos no orçamento.

3. Priorize os sonhos antes das despesas no orçamento.

4. Analise suas despesas para reduzi-las ou mesmo eliminar as que forem possíveis.

5. Não se esqueça de lançar as compras parceladas no orçamento.

6. Estabeleça quanto poderá destinar de sua renda mensal para saldar dívidas (se as tiver).

7. Respeite o padrão de vida permitido pelo orçamento.

EQUILÍBRIO

PERSEVERANÇA

Poupar

1. Defina o destino do dinheiro guardado a curto, médio e longo prazos.

2. Poupe um valor diferente para cada sonho a ser realizado.

3. Compreenda seu perfil como investidor.

4. Poupe (guarde) entre 10% e 30% de seus ganhos.

5. Busque sempre o melhor desconto como forma de poupar.

6. Diversifique os investimentos de acordo com o tempo de realização dos sonhos.

7. Acompanhe os resultados obtidos periodicamente.

Você pode!

No início deste livro, fiz um pacto com você. Garanti que se você não encontrasse nestas páginas a motivação e as ferramentas necessárias para operar uma verdadeira transformação na sua vida financeira, você poderia ter seu dinheiro de volta.

A motivação e as ferramentas estão dadas, cabe a você tirar a prova dos nove, aplicando o que aprendeu na sua vida e conferindo por si próprio o alcance dos resultados.

Os mais de 200 mil exemplares vendidos deste livro – sem nenhuma devolução – me fazem acreditar cegamente no seu potencial de agregar conhecimento, estímulo e satisfação às pessoas. Este livro tem transformado a vida de milhares de famílias, devolvendo a elas a saúde financeira e o equilíbrio para seguirem em frente, renovadas e fortalecidas.

Para que a transformação aconteça com você também, é importante envolver todos os seus familiares, incluindo seus filhos, nesse novo ciclo, independentemente da idade. Mas não esqueça: a verdadeira transformação tem de começar por você, por sua disposição de iniciar uma relação de mais consciência e equilíbrio com o dinheiro, desde hoje e para sempre. Como dizia Gandhi: "Seja você a mudança que deseja ver no mundo".

Chegou a hora de abandonar a postura que nós, na maioria das vezes, temos, de esperar que um pai protetor apareça do nada para resolver nossos problemas. Tome as rédeas da sua vida financeira! Você não precisa de soluções mágicas para viver bem financeiramente, apenas do conhecimento de algumas estratégias, além, é claro, dos três aspectos que ressaltei ao longo deste livro: atitude, disciplina e perseverança.

Leia o livro quantas vezes julgar necessário e vá aplicando os ensinamentos da **Metodologia DSOP**, passo a passo, com fé e constância, tendo sempre em perspectiva a conquista de um futuro mais próspero e sustentável, imaginando desde já como a sua vida poderá ser mais plena de sentido com sustentabilidade financeira.

Eu pessoalmente empreendi essa jornada em minha vida e sei que é possível afastar do nosso caminho todo e qualquer obstáculo, seja de ordem material ou psicológica.

O dinheiro faz parte da vida. Há quem diga que é a mola que move o mundo. Sendo assim, estarão mais bem aparelhados para viver os que tiverem controle sobre o próprio dinheiro, que não forem escravos, mas senhores dos recursos financeiros de que dispõem.

Ao longo deste livro, compartilhei com você todas as estratégias que empreguei e ainda emprego em minha vida e na vida de todos os que oriento como educador e terapeuta financeiro. Espero que você siga essas orientações até o ponto necessário para poder experimentar também o maravilhoso poder dessa transformação.

Os ensinamentos da **Metodologia DSOP** por meio de seus quatro pilares, Diagnosticar, Sonhar, Orçar e Poupar, devem ser praticados com periodicidade anual, lembrando que sua vida é um ciclo renovável, assim como seu padrão de vida também, portanto praticar anualmente estes ensinamentos é imprescindível para uma vida saudável. Para finalizar, sugiro que você deixe esse livro na sua cabeceira e não na prateleira. Pois os ensinamentos desse livro precisam ser praticados anos a fio, diariamente, para garantir sua saúde, sustentabilidade e prosperidade financeira.

Acredite na beleza dos seus sonhos!

Reinaldo Domingos

Informações adicionais

No portal da DSOP Educação Financeira (www.dsop.com.br), você encontra todas as simulações, testes, apontamentos, orçamentos e planilhas eletrônicas.

Contatos do autor:

reinaldo.domingos@dsop.com.br
www.dsop.com.br
www.editoradsop.com.br
www.reinaldodomingos.com.br
www.twitter.com/reinaldodsop
www.twitter.com/DSOP_Educacao
www.twitter.com/EditoraDSOP
www.facebook.com/domingosreinaldo
www.facebook.com/DSOPEducacaoFinanceira
www.facebook.com/EditoraDSOP
Fone: 55 11 3177-7800

Outras obras do autor

- *Terapia Financeira – Realize seus sonhos com Educação Financeira*
- *Livre-se das Dívidas – Como equilibrar as contas e sair da inadimplência*
- *Eu Mereço ter Dinheiro – Como ser feliz para sempre na vida financeira*
- *Papo Empreendedor – Uma reflexão essencial para chegar ao topo e ter sustentabilidade nos negócios*
- *Sabedoria Financeira – O milagre da multiplicação de seus recursos*
- *Ter Dinheiro não tem Segredo*
- *O Menino e o Dinheiro*
- *O Menino, o Dinheiro e os Três Cofrinhos*
- *O Menino, o Dinheiro e a Formigarra*
- *O Menino do Dinheiro – Sonhos de Família*
- *O Menino do Dinheiro – Vai à Escola*
- *O Menino do Dinheiro – Ação entre Amigos*
- *O Menino do Dinheiro – Num Mundo Sustentável*
- *O Menino do Dinheiro – Pequeno Cidadão*
- *Coleção DSOP de Educação Financeira para o Ensino Básico: Ensino Infantil, Fundamental I e II e Médio*
- *Coleção Dinheiro sem Segredo*
- *Programa DSOP de Educação Financeira para Jovens Aprendizes*
- *Programa DSOP de Educação Financeira de Jovens e Adultos (EJA)*
- *Programa DSOP de Educação Financeira nas Cooperativas*
- *Programa DSOP de Educação Financeira nas Empresas*
- *Programa DSOP de Educação Financeira nas Universidades*
- *Apontamento de Despesas*
- *Apontamento de Despesas do Empreendedor*

Reinaldo Domingos

Reinaldo Domingos é professor, educador e terapeuta financeiro. Autor do *best seller Terapia Financeira* e dos livros *Livre-se das Dívidas; Eu Mereço ter Dinheiro; Papo Empreendedor; Sabedoria Financeira; O Menino do Dinheiro – Sonhos de Família; O Menino do Dinheiro – Vai à Escola; O Menino do Dinheiro – Ação entre Amigos; O Menino do Dinheiro – Num Mundo Sustentável; O Menino do Dinheiro – Pequeno Cidadão; O Menino e o Dinheiro; O Menino, o Dinheiro e os Três Cofrinhos; O Menino, o Dinheiro e a Formigarra; Ter Dinheiro Não tem Segredo; Coleção Dinheiro Sem Segredo.*

Em 2009, idealizou a primeira Coleção Didática de Educação Financeira para o Ensino Básico do país, já adotada por diversas escolas, privadas e públicas. Em 2012, criou o primeiro Programa de Educação Financeira para Jovens Aprendizes e em 2013 ampliou para Educação de Jovens e Adultos (EJA). Em 2014 criou o primeiro curso de Educação Financeira para empreendedores. No mesmo ano criou os primeiros cursos de extensão universitária em Educação Financeira e Educação Financeira para empreendedores.

Formado em Ciências Contábeis e pós-graduado em Análise de Sistemas, Reinaldo fundou a Confirp Consultoria Contábil e foi governador do Rotary International Distrito 4610, na gestão 2009-2010. Atualmente é presidente da DSOP Educação Financeira e da Editora DSOP. É idealizador, fundador e presidente da Abefin – Associação Brasileira de Educadores Financeiros. É também o criador da primeira Pós-Graduação em Educação e *Coaching* Financeiro no Brasil. Reinaldo é ainda mentor da **Metodologia DSOP**.

DSOP Educação Financeira

Disseminar o conceito de educação financeira contribuindo para a criação de uma nova geração de pessoas independentes financeiramente. A partir desse objetivo principal foi criada, em 2008, a DSOP Educação Financeira. Presidida pelo professor, educador e terapeuta financeiro, Reinaldo Domingos, a DSOP Educação Financeira oferece uma série de produtos e serviços sob medida para pessoas, empresas e instituições de ensino interessadas em ampliar e consolidar o conhecimento sobre o tema.

São cursos, seminários, *workshops*, palestras, formação de educadores financeiros, capacitação de professores, Pós-Graduação em Educação e *Coaching* Financeiro, licenciamento da marca DSOP por meio da Rede de Educadores DSOP e Franquia DSOP. Mantenedora da Associação Brasileira de Educadores Financeiros - Abefin.

Cada um dos produtos foi desenvolvido para atender às diferentes necessidades dos diversos públicos, de forma integrada e consistente. Todo o conteúdo educacional é desenvolvido pela Editora DSOP e segue as diretrizes da **Metodologia DSOP**, concebida a partir de uma abordagem comportamental em relação ao tema finanças.

Criada por Reinaldo Domingos, a Editora DSOP é referência em Educação Financeira e atua também nos segmentos de autoconhecimento e desenvolvimento pessoal e literatura de ficção nacional e estrangeira. A DSOP Educação Financeira e a Editora DSOP são certificadas pelo ISO - 9001.

EDITORA dsop